COLLECTION
FOLIO THÉÂTRE

Henrik Ibsen

Une maison de poupée

Édition et traduction de Régis Boyer

Professeur émérite à l'Université de Paris-Sorbonne

Gallimard

Traduction de la Bibliothèque de la Pléiade.

PRÉFACE

De la difficulté d'être norvégien

Une constatation heureuse tout d'abord : il n'est certainement pas fortuit que Folio théâtre accueille le Norvégien Henrik Ibsen comme premier représentant scandinave de la collection et choisisse, parmi son œuvre abondante, de publier Une maison de poupée. *Nous dirons que ce n'est que justice : d'abord parce que Ibsen est probablement le seul véritable auteur classique que connaisse le Nord littéraire ; ensuite, en raison de la popularité extrême de cette pièce précisément, et aussi du fait qu'il est permis de dire que le drame de la petite Nora a quelque chose de paradigmatique à l'intérieur même d'une production pourtant fort diverse.*

*Classique : qui est considéré comme un modèle, dit le dictionnaire ; mais aussi : qui est à la base de l'éducation et de la civilisation, modernes en l'occurrence. Car Ibsen ne vieillit pas, il ne se passe pas de « saison » en France où plusieurs de ses pièces ne soient représentées, à Paris comme en province et, s'agissant d'*Une maison de poupée, *toute actrice a rêvé d'incarner la gentille épouse de Helmer.*

Et cependant, rien ne semblait prédisposer ce petit bourgeois norvégien à devenir l'un des grands écrivains de notre temps. Dès sa jeunesse, pourtant, il manifesta un goût visible pour l'écriture et sut se faire remarquer puisque son orientation vers le théâtre se dessina assez rapidement. Il apprendra son métier d'abord à Bergen, puis à Christiania (Oslo), décidera ensuite de s'exiler pour vingt-sept ans en divers pays et, pour finir, en Italie, à Rome : c'est là qu'il concevra toute son œuvre. Il fait donc partie de ces « écrivains de l'exil », comme on les a appelés, que connut la Scandinavie de l'époque. La raison en était que le Nord commençait à se mettre à l'heure européenne et souffrait globalement d'une sorte d'étouffement dû à divers carcans — tradition contraignante, religion assise, sociétés étroites et fermées, etc. —, toutes choses assez difficiles à imaginer lorsque qu'on connaît la Scandinavie actuelle. Et la Norvège n'était certes pas la mieux lotie ! Ce pays qui était vaste à l'époque médiévale soutenait la comparaison avec les nations les plus prestigieuses d'Europe et parlait une langue superbe qui se conservera en Islande où elle engendrera les Eddas, *la poésie scaldique et le trésor des sagas. Mais les traverses de l'Histoire ont voulu qu'à partir de la fin du XIVe siècle, la Norvège passe sous la coupe du Danemark alors beaucoup plus étendu, plus puissant et plus important qu'aujourd'hui : ce dernier colonisera, au sens péjoratif du terme, la Norvège, lui imposera sa loi, et jusqu'à sa langue. Il faudra attendre 1814 puis, définitivement, 1905 pour que le pays des fjords recouvre son indépendance, mais dans cette aventure navrante, il aura perdu son passé, sa solidité et surtout sa langue, l'idiome danois lui ayant été imposé de manière péremptoire. Privée de son langage originel et donc, partiellement, de son idiosyncrasie, la Norvège ne s'en est d'ailleurs toujours pas remise, ne serait-ce que parce qu'elle n'a pas retrouvé sa langue première, qu'elle hésite entre deux types d'expression, le dano-norvégien ou* bokmål, *et le norvégien ancien reconstitué ou* nynorsk. *La conséquence fut cette tendance au repli sur soi, à l'enfermement dont il convient de dire qu'ils n'ont toujours pas totalement disparu, tant s'en faut ! La langue, justement, dispose d'un verbe,* å gruble, *parfaitement significatif, qui veut dire « penser en ruminant, ruminer ses pensées » et s'applique, donc, à un type de méditation diffuse, non dite, chez ces natures introverties. Et c'est contre cela que le jeune Ibsen s'élevait, il voulait à la fois exprimer cet indicible si familier à ses compatriotes et sortir de cette sorte de mutisme. Affronter de face, donc, les grands problèmes de l'être et de l'époque. Une bonne histoire qui a cours là-bas veut que si l'on demande à un Norvégien de s'exprimer sur quelque sujet que ce soit, il rédige un long ouvrage intitulé « La Norvège et les Norvégiens ». Lisez ce qu'Ibsen lui-même pense de ce thème : « Celui qui veut me comprendre doit vraiment connaître la Norvège. La nature grandiose mais austère qui entoure les hommes, là-haut, dans le Nord, la vie solitaire, retirée — les fermes sont à des kilomètres les unes des autres — les contraignent à ne pas s'occuper des autres, à se replier sur eux-mêmes. C'est pourquoi ils sont introvertis et graves, c'est pourquoi ils réfléchissent et doutent — et souvent perdent courage*[1]*.* »

Contre les idées reçues

La première vertu d'Ibsen aura été précisément le courage, celui d'aller contre les idées reçues, de sortir des habitudes romantiques, de s'affirmer à la face du monde bien-pensant. Et la problématique de la modernité en cette dernière partie du XIXe *siècle, dans le Nord, allait grandement aider ce pourfendeur notoire des notables, des importants, des* « *respectables* » *et des respectueux de toute attitude de façade que fut l'auteur d'*Une maison de poupée. *Vers 1870, en effet, le Danois Georg Brandes, grand critique et brasseur d'idées, et père de la littérature comparée, venait de lancer un mouvement d'une incroyable fécondité auquel on a coutume de donner le nom de* « *percée* » *(*gennembrud*) moderne. Brandes avait les yeux rivés sur ce qui se faisait de nouveau en France, en Allemagne et en Grande-Bretagne ; il voyait bien qu'il fallait en finir avec les conventions et les banalités d'une tradition sclérosée, il devinait que dans ses termes une véritable littérature est celle qui soulève des problèmes, et que, partout, des mouvements rationalistes (réalisme, naturalisme, scientisme, positivisme, critique religieuse) dressaient l'homme nouveau contre la tradition figée : le Nord devait sortir d'un sommeil*

1. La citation est reprise d'un article de Brigitte Salino, dans *Le Monde*, 6 septembre 2002.

dérisoire et infécond. On imagine difficilement le retentissement qu'eurent ces théories telles qu'elles furent exprimées dans son ouvrage Les Grands Courants de la littérature européenne *(1871) : mis de la sorte en face de leurs responsabilités, une pléiade de très grands écrivains comme Strindberg, Bjørnson, Jacobsen... et Ibsen s'attachèrent à renouveler complètement l'inspiration traditionnelle et à donner ainsi un tout nouveau départ aux lettres de leurs pays. En vérité, Brandes avait eu un prédécesseur dont nous reparlerons plus loin, le penseur Søren Kierkegaard, même si ce dernier se cantonnait plutôt dans la philosophie et la religion. Il n'empêche que toute la Scandinavie littéraire allait entrer en effervescence et proposer des œuvres qui connaîtraient un remarquable succès partout. Il sied donc de dire qu'Ibsen ne fut pas un isolé, qu'il s'inscrivit dans une vaste tendance, mais avec un brio, un éclat incomparables.*

Il eut le courage, disions-nous, de lutter contre la médiocrité avant tout. Ce qu'il exécrait, écrit Maurice Gravier, c'était un « individu sclérosé, donc inintelligent, doublé d'un pleutre », soit ce qu'il appelait « la majorité compacte[1] *» ou ce que nous aimerions baptiser « les imbéciles*[2] *». Car ces derniers figurent dans toutes ses pièces : dans* Une maison de poupée*, c'est Helmer, tout simplement. Ces personnages assument leur rôle social, défendent ce qu'ils tiennent pour leur dignité,*

1. Maurice Gravier, *Ibsen. Textes, points de vue critiques, témoignages, chronologie, bibliographie, illustrations,* Seghers, coll. « Théâtre de tous les temps », 1973.

2. Sur « les imbéciles », voir Régis Boyer, « Le véritable ennemi d'Ibsen », dans *Études germaniques,* 2007 / 4, pp. 777 et sq.

leur respectabilité et ne comprennent pas la vérité des situations que vivent les porteurs de modernité. C'est expressément ce qu'ils disent et redisent, en substance : « Mais je ne comprends pas... ».

En d'autres termes, il faut lutter contre « le mensonge vital » (livsløgn*) qui définit l'attitude des lâches ou des pleutres face à leurs véritables devoirs ici-bas. Nous sommes tous comme le Grand Courbe, ce personnage symbolique de* Peer Gynt *qui conseille de « faire le tour » au lieu de se colleter à la dure réalité. Dans le théâtre d'Ibsen, les protagonistes vivent avec un* lik i lasten *(« cadavre dans la cargaison »), les Anglais disent* skeleton in the cupboard *(« squelette dans l'armoire »), c'est-à-dire une tare ou une faute de leur passé qu'ils s'efforcent en vain d'occulter mais qui finit par se révéler au grand jour : Nora, ici, véhicule ce faux en écriture qu'elle a fait pour sauver la vie, la santé de son mari malade. Et c'est lui, ce « cadavre », qui va déchaîner le drame à la faveur des circonstances. Ne disons pas, pour faire droit à des théories qui étaient à la mode à l'époque, qu'il s'agit d'hérédité (encore que ce sujet ait été traité expressément dans un autre chef-d'œuvre,* Les Revenants*) : nous sommes, en réalité, devant un véritable examen de conscience où l'individu est mis en face de lui-même.*

Et c'est là que nous retrouvons Søren Kierkegaard, dont on ne souligne pas assez l'importance et l'influence qu'il eut sur la Scandinavie pensant et écrivant, dans la mesure, d'ailleurs, où ce magistère implicite n'existe pas toujours. Il y a deux faces dans le témoignage de l'auteur de Ou bien... ou bien... *: d'une part, l'exal-*

tation de valeurs positives qui s'appellent subjectivité, engagement et authenticité ; d'autre part, l'exécration de ces faux-semblants et hypocrisies qui marquent notre vie sociale et notre pratique prétendument religieuse. La pratique, le culte sont affaires d'État dans ces pays luthériens, le pasteur est un fonctionnaire, marié et rémunéré, qui préfère, en règle générale, la belle et bonne parole à des actes signifiants, ce que l'auteur de Crainte et tremblement *ne tolérait tout simplement pas. Ces sociétés puritaines et bourgeoises évoluaient sous le regard d'autrui, seule jauge véridique de leur comportement, et c'est bien cette référence explicite qu'invoque Helmer lorsqu'il découvre la vérité sur la conduite passée de Nora. D'un autre côté, l'individu est obsédé par son ego, il revendique l'exercice de ses droits qu'il juge sacrés, la seule vérité qu'il quête est une « vérité pour soi » — si l'on veut bien nous passer cette formulation qui fut à la mode il y a un demi-siècle — à laquelle il entend être fidèle, inconditionnellement : il sait, il sent qu'il doit être ce qu'il est jusqu'au bout. Ainsi se trouve défini le personnage ibsénien, et Nora justifiée dans sa résolution finale. Par là, également, se trouve posé et réglé le problème qui a passionné l'époque d'Ibsen et qui porte le nom de « double morale » : sans parler encore de « féminisme », auquel nous viendrons plus loin, il était tacitement entendu qu'il existait deux « morales », l'une pour l'homme impliquant compréhension et indulgence (il faut bien que jeunesse se passe) et l'autre pour la femme à laquelle rien, absolument rien ne doit être pardonné. Rappelons que c'était l'époque dite des « trois K »* (Kinder, Kirche, Küche *: enfants, église, cuisine) selon* *la terminologie allemande qui semble avoir été à l'origine du fait, les trois domaines dont, par définition, la femme est détentrice, et qu'elle ne doit à aucun prix abandonner si elle ne veut pas encourir l'opprobre de la société. Or, en Scandinavie, au sein de ces communautés luthériennes obsédées par le péché, la faute et sa sanction, les problèmes moraux revêtent une importance toute particulière. C'est ce qui explique que, chez Ibsen, l'exigence de vérité soit fondamentale, tout excessive qu'elle puisse paraître à nos yeux, avec ce radicalisme tellement typique et somme toute assez peu familier à nos entendements « latins » ou catholiques. La petite Nora ira jusqu'au bout d'elle-même, elle ne transigera sur rien, même après que son falot de mari sera revenu sur son attitude roide. Rappelons-nous que c'est Ibsen qui, dans* Brand, *la plus terrible peut-être de ses pièces, fait proclamer à son pasteur de héros la devise* allt eller intet *(« tout ou rien »), ou bien* akkordens ånd er Satan *(« l'esprit de compromis, c'est Satan »). C'est certainement ce côté dogmatique qui nous met passablement mal à l'aise, cette façon de traiter des sujets à la fois urgents et blessants avec une désinvolture, un dogmatisme parfois gênants, qui finit par conférer une note quasi cynique à la décision de Nora (les bonnes s'occuperont des enfants).*

Une inspiration bien nordique

Mais l'une des composantes majeures du génie d'Ibsen, qui fait aussi le charme de son inspiration, est son aspect bien nordique et nous gageons que c'est là un des traits qui expliquent le succès durable de cette œuvre. D'abord, il y a la nature, la grande nature du Nord, celle des fjells et des fjords, bien sûr, mais aussi cette lumière incomparable, cette symbiose avec le décor qui font que, même si Une maison de poupée *se déroule en ville, la mer et son goût d'aventure, l'ailleurs et l'autrement sont confusément présents. Il faut savoir, d'une part, qu'Ibsen fut un poète intéressant*[1]*, d'autre part, qu'il fut aussi un peintre, dans le goût réaliste, de bon aloi. On ne peut pas demeurer insensible à ces oiseaux qui passent, invisibles, dans la pièce, l'alouette / Nora par exemple, la jeune femme étant également comparée à un écureuil.*

Mais, ce qui dote les créations scandinaves d'une dimension inattendue, c'est que, consciemment ou non, elles retrouvent comme par grâce des archétypes qui remontent à l'aube de l'histoire du Nord telle que nous pouvons la connaître. Donnons-en deux exemples : le Nord antique a vénéré une Déesse-Mère ou Grande-Déesse[2] *qui fut probablement la toute première entité divine qu'il ait connue, déjà bien présente à l'âge des gravures rupestres de l'âge du bronze (vers 1800 avant J.-C.) et très active dans les textes mythologiques des* Eddas *(Frigg, Freyja, Skadi). C'est certainement le souvenir de cette déesse qui explique le rôle que la femme joue dans les sagas islandaises et dont le splendide personnage de Bergthora dans* La Saga de Njáll le brûlé

1. Ses *Poèmes* ont été publiés en traduction française (par Régis Boyer) dans la collection « Classiques du Nord », aux Belles-Lettres, en 2006.

2. Voir Régis Boyer, *La Grande Déesse du Nord,* Berg international, 1995.

donne une parfaite image. Ce qui fait qu'il n'y a pas lieu de s'étonner que ç'ait été d'abord dans le Nord que les mouvements féministes ont partiellement pris leur essor mais aussi que le traitement très particulier qu'Ibsen nous propose de Nora trouve des justifications qui ne doivent pas nécessairement remonter aux aspirations du XIX*e* *siècle. Le deuxième exemple est plus profond et subtil. Nous parlions de « cadavre dans la cargaison » et donc de résurgence inéluctable d'un certain passé dans la conscience actuelle du personnage ibsénien. Autant dire qu'un sens fort éloquent du Destin, avec majuscule, règne ici : en somme, Nora se trouvant confrontée au geste qu'elle a posé il y a quelques années ne fait que se raccorder au Destin qui, par définition, gouverne son existence. Or, le Destin est sans le moindre doute la divinité majeure d'un panthéon nord-germanique dont tous les commentateurs s'accordent à dire l'ambiguïté, voire le flou*[1]*. En revanche, le héros nordique ancien marche résolument et lucidement vers l'accomplissement de son destin, tout comme Nora.*

Comme on le sait, le Nord n'est pas tellement habile dans le maniement des abstractions, les langues qu'il fréquente sont autrement plus à l'aise dans le concret, et ce n'est pas un hasard si ces pays ne connaissent qu'un seul vrai philosophe, Kierkegaard précisément, que nous avons nommé plusieurs fois déjà. En revanche, s'il est un registre sur lequel ces inspirations s'exercent avec

1. On trouvera un développement substantiel dans notre « Essai sur le sacré chez les anciens Scandinaves », en tête de la traduction de *L'Edda poétique,* Fayard, 2e éd., 1992.

bonheur, c'est celui des images. À telle enseigne que l'on est fondé à parler, s'agissant de ces écrivains, de leur activité icono-motrice : au départ de leur activité créatrice, il y a à peu près toujours une ou des images qu'ils s'efforcent de détailler, d'élucider, de faire valoir sous toutes leurs faces : le sapin que décore Nora au début de la pièce, ces macarons qui devraient faire diversion et que l'héroïne croque en cachette, la robe que retaille Kristine, la tarentelle, la lettre qui tombe dans la boîte et, surtout, cette porte qui claque tout à la fin de la pièce : ce ne sont pas les idées (activité idéo-motrice, disons-nous) qui animent l'action, c'est le lecteur ou le spectateur qui les sollicite arbitrairement à des fins explicatives ; c'est le petit brin de femme enjouée, vive, riante qui nous attache. Nature (l'alouette), poésie (la danse), enfance (les macarons), c'est derrière, au-delà de tout cela que réside le drame, on comprend bien que « les imbéciles » n'y entendent rien et qu'ils se réfugient dans la possibilité d'un « miracle suprême », dernière réplique de la pièce. Et puis, prenons garde au titre, ce n'est pas, comme on le voit bien trop souvent en français, La Maison de poupée, *ou* Maison de poupée, *c'est bien* Une maison de poupée *(*Ett dukkehjem, ett *étant l'article indéfini neutre en norvégien) : on nous donne à voir, littéralement, une maison de poupée, parmi d'autres semblables ; c'est effectivement à partir de cette image que s'édifie le drame. Ces réflexions sont nécessaires parce qu'on a voulu, selon les temps, faire d'Ibsen tantôt un grand écrivain réaliste, tantôt un symboliste. Qu'il soit réaliste, on peut l'admettre à la rigueur, dans la mesure où les personnages, les situations et les péripéties pré-*

sentés relèvent d'une aperception fidèle du quotidien, du moins dans les pièces dites bourgeoises, au premier rang desquelles figure Une maison de poupée. *Il faudrait alors parler, plutôt, de réalisme psychologique et les psychanalystes à venir, au premier rang desquels Freud lui-même, ne s'y sont pas trompés. Mais, contrairement à ce qui fut une manière de mot d'ordre du vivant même du dramaturge, il n'est pas possible de qualifier de symboliste ce théâtre. Du moins au sens dûment historique et classé de l'épithète. La maison de poupée dont il est question ici est sans aucun doute symbolique mais on a très justement fait remarquer que ce théâtre n'est pas symboliste, il se contente de présenter des symboles, en général fort intelligemment exploités : Nora et Helmer sont symboliques, elle d'une certaine conception de la condition humaine, lui d'un état donné de notre société. Nous ne sommes ni chez Maeterlinck ni chez Villiers de l'Isle-Adam, lequel avait pourtant composé avec* La Révolte *(1870), une pièce aux thèmes assez proches de ceux d'*Une Maison de poupée.

Renouveler l'art dramatique

L'essentiel, peut-être, reste à dire. Nous nous sommes attardé sur la thématique, le caractère révolutionnaire dûment accordé à la problématique de la modernité de ce temps-là, les grands mots d'ordre auxquels Ibsen se ralliait fort consciemment. D'autres que lui ont entendu servir les mêmes idéaux mais aucun, semble-t-il, avec la maîtrise, le savoir-faire qui marquent ce théâtre. Car, précisément, Ibsen fut un homme de théâtre avant tout et c'est certainement en ce sens que nous avons pu dire un peu plus haut qu'il était un parfait classique. Si l'on se réfère à ce qui se faisait avant lui, non seulement en Norvège, mais globalement dans le Nord, on est en droit d'affirmer qu'il a totalement renouvelé l'art dramatique. Et là, tous les critiques s'accordent. Ses pièces sont des petites merveilles de mécanique, montées avec une précision d'horloger et une virtuosité vraiment admirable. Il est bon de savoir que, comme tant d'autres Scandinaves, il fut à l'école de ce Français qui régnait à l'époque sur les lettres européennes, même s'il est un peu oublié à présent, Eugène Scribe, l'adepte de « la pièce bien faite » qui pose, d'ordinaire à la faveur d'un couple donné, un problème, le dissout, le reprend pour le résoudre différemment, en dosant savamment les épisodes et les péripéties décisives. Ibsen avait lui-même monté plusieurs pièces de Scribe du temps où il était directeur de théâtre en Norvège (entre 1851 et 1862). Chez lui, l'enchaînement des péripéties est inexorable. Une maison de poupée *est exemplaire à cet égard avec ses deux couples (Nora / Helmer et Mme Linde / Krogstad) dont l'un est comme le reflet de l'autre et qui, successivement, s'opposent, veulent se détruire, se réconcilient. Dans la progression du drame, il n'y a pas un seul temps mort, chaque nouvel élément en appelle un autre qui en est non seulement la continuation mais, dirions-nous, la surenchère. Suivez, par exemple, la progression du thème de la lettre qui est d'abord évoquée à mots couverts, puis déclarée, puis cachée, puis prémonitoire, puis explosive et enfin fatidique, au sens bien étymologique de l'ad-*

jectif. La « reconnaissance » de Mme Linde et de Krogstad n'est pas un épisode convenu et survenant à point nommé, il s'inscrit en contrepoint sur le faux amour du couple principal, comme dans l'art musical, dans la mesure où une orchestration subtile, comparable à celle d'un opéra, s'impose peu à peu.

Et puis — là-dessus tous les commentateurs s'accordent aussi — la science ibsénienne du dialogue est souveraine, elle fait d'ailleurs le désespoir du traducteur. Comme le dit le metteur en scène et auteur Jacques Lassalle, « chez Ibsen, le dialogue n'accompagne pas l'action, il est l'action. L'amputer, le condenser, le fractionner, c'est en sacrifier la substance[1] *». Car les protagonistes ne se répondent pas vraiment, sous leurs échanges court ce que Nathalie Sarraute aurait appelé une « sous-conversation » avec ses effets de suggestions, de sous-entendus, de « non-dit-bien-senti », etc. On sait qu'Ibsen travaillait beaucoup à l'écriture de ses pièces.* Une maison de poupée *mérite une attention toute particulière à cet égard. C'est l'une des pièces les plus courtes qu'Ibsen ait composées car elle ne compte que trois actes, mais elle illustre bien l'un des procédés de l'auteur : poser une idée abstraite (morale, en ce qui concerne Nora, ou sociale pour Helmer, nous l'avons vu), puis inventer une affabulation qui la serve, selon la technique du « squelette dans l'armoire », ce qu'un grand connaisseur norvégien, Edvard Beyer, appelle la « rétrospective analy-*

1. Jacques Lassalle, « Revenir à Rosmersholm », *Études Germaniques,* 2007 / 4, p. 819, n. 2.

tique[1] *», à partir de laquelle un événement du passé remonte progressivement à la mémoire pour déterminer toute la suite et la fin de l'action. Une sorte de logique inexorable tout à fait digne du théâtre grec antique dicte l'argument qui progresse avec une implacable rigueur, mais, notons le fait, ce n'est pas un* deus ex machina *qui conduit l'action, mais une malédiction interne qui hante le personnage et resurgit dans sa conscience au moment crucial. Le héros (ou, ici, l'héroïne) est réellement artisan de son Destin, il retrouve le geste du personnage de saga que nous évoquions plus haut, car il sait que c'est le Sacré qui le mène, ou plutôt, qu'il entend vénérer en actes. On comprend pourquoi il est arrivé que l'on fasse l'erreur de voir en Ibsen une sorte d'aristocrate attaché à fustiger la médiocrité de son époque. En fait, il a l'allure d'un prophète, il domine son temps, tant dans sa façon de retrouver les principes incontournables de l'antiquité nordique que dans la manière dont il expose de fascinantes visions : lorsque l'on sait de quelle manière l'avenir se chargera d'institutionnaliser la conduite dont il crédite Nora, on a le droit de dire de lui qu'il fut un visionnaire qui se voulut prophète.*

Un homme de recherche

Il ne sied pas, toutefois, d'en rester là car la personnalité de cet écrivain fut tellement riche que les affirma-

1. Edvard Beyer, *Henrik Ibsen,* Oslo, J. W. Cappelens Forlag, 1978.

tions bien tranchées qui émaillent les pages qui précèdent courent le risque de paraître excessives.

Car, paradoxalement, Ibsen fut un homme de recherche, en recherche. Il hésita entre les drames « historiques » (qu'il traita surtout dans sa jeunesse), les drames « poétiques » comme Brand *ou* Peer Gynt, *et ces drames dits « bourgeois » (qui correspondent donc à ce qu'il fut lui-même, un bon petit bourgeois norvégien) que la postérité a retenus de préférence — mais on se rappellera que lui-même tenait pour son meilleur essai la double pièce intitulée* Empereur et Galiléen, *qui oscille entre histoire, religion et philosophie. Et, comme nous l'avons vu, il ne dédaigna ni la poésie ni la peinture.*

On ne saurait donc enfermer cet « instable » dans une définition rapide : ce vaniteux fuyait la foule, cet ambitieux aura préféré à la gloire un exil de vingt-sept ans, ce solitaire ne dédaignait pas les hommages publics, ce pusillanime aura défendu avec éclat quelques-unes des théories qui ont fait la modernité du théâtre… Sans doute trouverait-on là la justification de cette tension qui semble bien avoir été le climat normal de son inspiration. Il y a des paroxysmes comme ce Brand *que nous avons déjà mentionné ou, ce qui est probablement sa plus grande réussite, le drame* Rosmersholm, *dont les deux protagonistes ne parviennent pas à sortir de la tension qui oppose, dans leur âme, passé et présent, présent et avenir, et qui les mènera à la mort volontaire. Déjà, dans* Une maison de poupée, *il règne une tension, due à l'intervention de Krogstad, mais aussi à la fameuse lettre et, finalement, à ce que va être l'ultime décision de Nora, tension encore manifeste dans la scène de la tarentelle. Est-ce en raison d'une sorte de fascination pour l'absolu dont nous avons déjà noté la présence dans les inspirations du Nord ? Revenons un instant à Kierkegaard ; son œuvre majeure,* Ou bien... ou bien…, *postule la nécessité absolue d'un choix. Il n'y a pas de moyen terme, et c'est peut-être cette raideur qui met mal à l'aise, comme on l'a suggéré, le lecteur français professant le* stat in medio virtus, *la juste mesure. Nora est convaincue de la rectitude du geste qu'elle a fait pour sauver son mari, non seulement elle ne le regrette pas, mais nous sentons bien cette manière de désarroi qui la saisit devant les conséquences qu'entraîne cette attitude.*

Et pourtant, dans le tréfonds de cette inspiration d'Ibsen plane un doute qui s'accentuera avec les années. C'est ce que note l'un des meilleurs écrivains norvégiens actuels, Espen Haavardsholm : « Il y avait en lui un doute intérieur qui l'a accompagné toute sa vie[1]*. » Cela culminera dans la célèbre citation de la toute dernière pièce,* Quand nous ressusciterons *: « Quand nous ressusciterons, nous nous rendrons compte que nous n'avons jamais vécu. » Car enfin, en vertu de quels principes pouvons-nous croire que nous avons choisi la bonne voie ? Vaut-il la peine de consacrer toute notre vie à la poursuite d'idéaux dont nous savons qu'ils sont inaccessibles ? À quoi bon gaspiller toute son énergie, toute sa jeunesse, tout son trésor de joie potentielle si nous devons échouer ou mourir ? Car la mort est au*

1. Espen Haavardsholm, « Ibsen, côté noir », *Europe,* n° 840, avril 1999, p. 39.

bout de tout. Même si, avec Une maison de poupée, *l'œuvre d'Ibsen n'en est qu'à ses débuts, c'est déjà ce doute qu'il faut entendre derrière les incertitudes de Nora, au moment où elle s'apprête à quitter définitivement le foyer conjugal : elle est certaine d'avoir été trahie dans son amour (dans l'idée qu'elle s'en faisait, en tout cas), mais la décision qu'elle est en train de prendre, elle ne la tient pas pour irréfragable, il lui faut ce départ avec toute la profondeur de réflexion qu'il implique pour parvenir à se rendre compte. C'est peut-être pourquoi Maurice Gravier parlait de « théâtre de désenchantement » : Nora constate que l'amour dont elle rêvait et dont elle vivait n'était qu'un leurre, mais rien ne lui permet d'affirmer que la décision radicale qu'elle prend lui procurera l'accomplissement d'elle-même.*

Et c'est ici qu'il y a lieu de prendre en compte l'un des personnages les plus déroutants de la pièce, l'excellent docteur Rank, qui est sincèrement et tragiquement amoureux de Nora, tragiquement puisqu'il est atteint d'une maladie mortelle et se sait condamné, mais qui souhaiterait lui manifester sa passion. Ce qu'elle refuse d'entendre. Amour bourgeois de Helmer pour Nora, amour retrouvé de Krogstad pour Kristine Linde, amour désespéré de Rank pour Nora, lequel est le bon ? Ce n'est ni le premier que ruinent les conventions sociales, ni le deuxième, sans doute, puisqu'il est trop difficile de revenir sur un naufrage ; serait-ce le troisième ? Nous venons d'en souligner le visage désespéré. Et l'on conviendra à la fois de la richesse de l'inspiration d'Ibsen et de l'impossibilité où nous sommes d'avancer des affirmations tranchées, puisque, en définitive, cette souveraine ambiguïté, sauvegarde aussi de la liberté du lecteur ou du spectateur, est la marque du génie.

Personne ou personnage

Nous voici en mesure d'aborder ce qui, à notre sens, représente le cœur même de cette pièce.

Nous avons déjà tenté de récuser partiellement, en passant, les prétentions souvent affichées qu'aurait Une maison de poupée *à défendre les thèses d'un féminisme fracassant. C'est pourtant le lieu de mentionner que l'histoire de Nora aura eu, du vivant d'Ibsen, un modèle si l'on peut dire, dont il n'est pas exclu que l'auteur d'*Une maison de poupée *se soit inspiré : Laura Kieler (1849-1932), femme de lettres dano-norvégienne et grande admiratrice de notre dramaturge, avait écrit un roman intitulé* Les Filles de Brand *(1869) en pensant, bien entendu, au personnage de Brand dans la pièce d'Ibsen (1866). Or elle s'était endettée, sans commettre de faux toutefois, à l'insu de son mari, Viktor Kieler, un professeur atteint de tuberculose et qui devait, pour se soigner, aller faire un séjour dans le sud de l'Europe ; cela aboutit à un divorce, Laura Kieler échouant dans une clinique psychiatrique. Ibsen la connaissait, il l'avait fréquentée à Dresde et à Munich, mais il avait énergiquement refusé de la recommander à un éditeur, la jugeant immature. Lorsque parut, en 1879,* Une maison de poupée, *Laura lui demanda de préciser qu'elle lui avait servi de modèle, ce qu'Ibsen refusa. Ajoutons d'ailleurs, pour couper court aux « explica-*

tions » trop faciles, que le couple Kieler finit par se réconcilier. Et, du reste, ce type de sujet n'était pas propre au dramaturge norvégien : une romancière de grande qualité, contemporaine d'Ibsen, Camilla Collett (1813-1895) avait, dans ses deux principaux romans, Les Filles du préfet *(1854) et* Dans les longues nuits *(1862) défendu des opinions ouvertement féministes, cette fois*[1].

Mais le créateur de Nora s'est énergiquement défendu de militer pour des positions féministes. Au demeurant, il s'indignait devant les erreurs que l'on commettait si souvent sur le compte de sa petite héroïne. Ainsi, Nora n'est pas une mère indigne, la cause qu'elle défend va bien au-delà de sa simple maternité, si l'on ose dire, elle n'est pas non plus une militante de type suffragette ou une individualiste farouche (bien que nous entendions revenir, à certains égards, sur cette opinion-là) ni une femme insatisfaite sexuellement, puisque cette vue-là a pu être soutenue par quelques psychologues désorientés, ni même une puritaine qui s'ignore (et l'on remarquera que, si une certaine morale bourgeoise règne en maîtresse dans la pièce, la religion stricto sensu *n'a pas de part à l'action) et ainsi de suite. À l'heure où est rédigée cette préface, un bon nombre des vues qui viennent d'être recensées à l'instant paraîtront surannées, voire ridicules. Mais il faut demeurer conscient de l'effet de scandale,*

1. Sans parler d'autres essais comme *Maria Magdalena* (1844) de l'Allemand Friedrich Hebbel, ou *La Révolte* (1870), déjà citée ici, de Villiers de l'Isle-Adam. Voir à ce propos Régis Boyer : « Elisabeth-Laura-Nora », dans *Literature and Reality : Creatio versus Mimesis*, A. Bolckmans ed., Université de Gand, 1977, p. 181-194.

véritablement, que déclencha Une maison de poupée. *En Allemagne, on accusa la pièce de ne pas avoir de conclusion acceptable, et la grande actrice Hedwig Niemann-Raabe exigea d'Ibsen qu'il modifiât la fin pour faire revenir Nora, repentante, à la maison : Ibsen s'exécuta, non, nous semble-t-il, par pusillanimité, mais bien parce que l'objectif qu'il visait dépassait de fort loin le moralisme bien-pensant. Nora tombait à genoux devant la porte de la chambre des enfants, et elle s'écriait en joignant les mains :* « O, ich versündige mich gegen mich selbst, aber ich kann sie nicht verlassen » *(« Oh ! c'est contre moi-même que je pèche, mais je ne peux pas les abandonner »).*

Ibsen a proclamé publiquement, en 1898, lors d'une réunion de féministes norvégiennes, qu'il ignorait totalement ce que signifiait le féminisme, et que la seule chose qui l'intéressait était de dépeindre des êtres humains. Cette déclaration doit impérieusement nous retenir. Non que cette problématique ne l'intéressât point car il était conscient des injustices accablant la femme qui entendait se promouvoir dans une société faite et régie par des hommes. Et en un sens, il est permis de dire que la majorité de ses héroïnes, telles Hedda Gabler, Rebekka West (dans Rosmersholm*), Hélène Alving (dans* Les Revenants*) ou encore Ellida Wangel (dans* La Dame de la mer*) nous fascinent précisément en raison de cette cruauté avec laquelle leur personne est niée au bénéfice de leur personnage. Ibsen n'aimait pas s'exprimer sur l'essence de son inspiration, rares sont les interviews qu'il a consenti à accorder aux journalistes de son temps. Il en est une, pourtant, exhumée récemment, qui figura* *dans la revue mensuelle britannique* The Humanitarian, *en 1896*[1]. *L'écrivain y fait preuve de son habituelle mauvaise humeur, mais il consent à nous dire qu'il s'intéresse aux femmes, qu'elles seront « de moins en moins des esclaves et des reproductrices, et de plus en plus des collaboratrices et des camarades pour les hommes », et même que « de bien des façons, elles sont en avance sur les hommes » ; mais, comme on l'interroge sur sa doctrine en l'occurrence, il s'écrie : « Doctrines ! Je n'ai pas de doctrines. Combien de fois serai-je forcé de vous dire que mes pièces ne sont pas doctrinaires ? Je dépeins ce que j'ai vu. »*

Voilà qui nous incite à chercher ailleurs la clef de son extraordinaire inspiration. Ce qui révolte Nora, la raison pour laquelle elle prend cette décision qui fait qu'elle récuse son amour à la fois conjugal et maternel, qu'elle méprise la considération sociale et morale dont, d'aventure, elle jouissait, qu'elle rompt avec tout ce qui la définissait jusqu'alors, qu'elle PART, *c'est qu'elle a compris, senti que c'était son être — sa Personne unique et irremplaçable — qui se trouvait désavoué, nié de la sorte. Elle sait qu'elle doit être elle-même, qu'elle ne peut avoir de sens autrement, que l'idéal, le sacré qu'elle porte en elle, et dont elle est une incarnation, ne peuvent en aucun cas admettre compromis et fausse indulgence car ce n'est pas, ce ne peut être là la définition de l'amour vrai. C'est par amour véritable qu'elle avait commis ce*

1. Nous avons proposé une traduction intégrale de cette interview dans *Études Germaniques*, n° 248, octobre-décembre 2007, pp. 947-957.

faux qui la condamne aux yeux des « imbéciles », c'est cet amour-là qui est bafoué de manière ignominieuse. Du coup, sa Personne prend une allure presque hiératique, les chrétiens diraient qu'elle est « capable » de l'absolu dont elle a, jusque-là, implicitement, inconsciemment vécu. On a cherché à violer sa Personne en ce qu'elle avait d'inaliénable, d'exemplaire, et il ne semble pas fortuit que nous parlions de Personne avec cette insistance : le « personnalisme » du philosophe français Emmanuel Mounier (1905-1950) promeut précisément ces valeurs-là, qu'il fonde en Dieu. Le grand critique norvégien actuel, Atle Kittang, est sensible à cette exaltation de la liberté qui, pense-t-il sans doute à bon droit, est l'âme de la pièce :

> Ce qui intéresse Nora, c'est le moment pur de liberté, et l'obligation de choisir, ce qui revient à une obligation de *se choisir*, de rompre radicalement avec son ancien moi pour en créer un nouveau. Car, comme le dit le fondeur de boutons dans le cinquième acte de *Peer Gynt*, « être soi-même, c'est mourir à soi-même ». Dans une lettre au critique danois Georg Brandes, écrite au mois de février 1871, c'est-à-dire huit ans avant *Une maison de poupée*, il exprime en effet son mépris pour toutes les significations déterminées et toutes les réalisations politiques du mot « liberté ». Bien qu'enfant de l'esprit libéraliste de son époque, Ibsen considère dans cette lettre l'accomplissement des promesses politiques contenues dans le mot « liberté » comme autant d'attaques contre l'idée même de liberté : « […] Ce que vous appelez liberté, je le nomme *des* libertés, et ce que j'appelle la lutte pour la liberté

> n'est pourtant rien d'autre que l'acquisition répétée et vivante de l'idée de la liberté. Celui qui possède la liberté autrement que comme l'objet à rechercher, la possède morte et sans esprit, car la notion de liberté a ceci de particulier qu'elle s'étend toujours pendant l'acquisition, et si donc quelqu'un s'arrête au milieu de la lutte, disant : « je l'ai maintenant », il montre justement par là qu'il l'a perdue[1].

On aura été attentif, assurément, à l'aspect paradoxal que prend la notion de liberté dans les réflexions ibséniennes. Le luthérien radical à la Kierkegaard qui a conçu cette femme a voulu la faire aller jusqu'au bout d'elle-même, c'est-à-dire dans sa totale liberté : dans sa totale sincérité.

Régis BOYER

1. *Études Germaniques, ibid.*, p. 860.

Une maison de poupée

PIÈCE EN TROIS ACTES

DISTRIBUTION

HELMER, *avocat.*

NORA, *son épouse.*

LE DOCTEUR RANK.

MADAME LINDE.

KROGSTAD, *avocat.*

LES TROIS JEUNES ENFANTS DE HELMER.

ANNE-MARIE, *bonne d'enfants chez les Helmer.*

LA BONNE, *même lieu.*

UN COMMISSIONNAIRE.

L'action se passe chez les Helmer.

PREMIER ACTE

Une maison confortable et de bon goût, mais sans grand luxe. Au fond, une porte à droite ouvre sur le vestibule ; une autre porte à gauche mène au cabinet de travail de Helmer. Entre ces deux portes, un piano droit. Au milieu du mur, à gauche, une porte, et, plus loin en avant, une fenêtre. Près de celle-ci, une table ronde avec un fauteuil et un petit sofa. Dans le mur latéral de droite, un peu en arrière, une porte, et contre le même mur, plus en avant, un poêle en faïence avec deux fauteuils et un fauteuil à bascule placés devant. Entre le poêle et la porte latérale, une petite table. Des estampes aux murs. Une étagère avec des porcelaines et d'autres petits objets artistiques ; une petite bibliothèque garnie de livres bien reliés. Tapis sur le sol. Le poêle est allumé. On est en hiver.

On sonne dans le vestibule ; peu après, on entend la porte s'ouvrir. NORA, *enjouée, entre en chantonnant dans le salon ; elle est en manteau et porte une quantité de paquets dont elle se débarrasse sur la table de droite. Elle laisse ouverte, derrière elle, la porte du vestibule et l'on voit un commissionnaire qui porte un sapin de Noël et un panier. Il remet le tout à* LA BONNE *qui lui a ouvert.*

NORA

Occupe-toi de l'arbre de Noël, Hélène. Il ne faut absolument pas que les enfants le voient avant ce soir, quand il sera décoré. *(Au Commissionnaire, en sortant son porte-monnaie.)* C'est combien ?

LE COMMISSIONNAIRE

Cinquante øre.

NORA

Voilà une couronne. Non, gardez tout.

Le Commissionnaire remercie et s'en va. Nora ferme la porte. Elle continue de sourire, calme et enjouée, tout en enlevant son manteau. Elle tire de sa poche un sac de macarons et en mange deux ou trois puis s'en va prudemment écouter à la porte de son mari.

Oui, il est là.

Elle se remet à chantonner tout en se rendant vers la porte de droite.

HELMER, *de son cabinet.*

Est-ce que c'est l'alouette qui gazouille ?

NORA, *tout en ouvrant quelques-uns des paquets.*

Oui, c'est elle.

HELMER

Est-ce que c'est l'écureuil qui fourrage par là ?

NORA

Oui !

HELMER

Quand l'écureuil est-il rentré ?

NORA

À l'instant. *(Elle fourre le sac de macarons dans sa poche et s'essuie la bouche.)* Torvald, viens donc voir ce que j'ai acheté !

HELMER

Ne me dérange pas ! *(Peu après, il ouvre la porte et, la plume à la main, jette un coup d'œil à l'intérieur.)* Acheté, dis-tu ? Tout ça ? Alors, mon étourneau est allé, de nouveau, dépenser de l'argent !

NORA

Mais oui, Torvald. Cette année, vraiment, on peut bien se le permettre un peu. C'est le premier

Noël où nous n'avons pas besoin de faire des économies, n'est-ce pas ?

HELMER

Oh ! tu sais bien que nous ne pouvons pas gaspiller.

NORA

Si, Torvald, on peut bien gaspiller un tout petit peu, maintenant. Pas vrai ? Rien qu'un tout petit peu. Désormais, tu vas toucher un gros traitement, tu vas gagner beaucoup d'argent, beaucoup d'argent.

HELMER

Oui, à partir du Nouvel An. Mais il s'écoulera tout un trimestre avant que le traitement tombe.

NORA

Pfff ! On peut bien emprunter en attendant.

HELMER

Nora ! *(Il va vers elle et lui prend l'oreille par plaisanterie.)* Toujours cette insouciance ! Suppose que j'aie emprunté mille couronnes aujourd'hui, que tu les dépenses dans la semaine de Noël et que, à la Saint-Sylvestre, il me tombe une tuile sur la tête. Et alors…

NORA, *lui mettant la main sur la bouche.*

Quelle horreur ! Ne dis pas d'horreurs pareilles !

HELMER

Si ! Suppose que cela arrive... Et alors ?

NORA

S'il arrivait une chose aussi horrible, ça me serait bien égal d'avoir des dettes ou non.

HELMER

Bon, mais les gens à qui j'aurais emprunté ?

NORA

Ces gens-là ? Qui se soucie d'eux ? Ce sont des étrangers, non ?

HELMER

Nora, Nora ! tu es une vraie femme ! Non, mais, sérieusement, Nora. Tu connais mes opinions là-dessus. Pas de dettes ! Ne jamais emprunter. Il y a quelque chose de dégradant, et, par conséquent, quelque chose de laid dans un foyer fondé sur l'emprunt et les dettes. Or, nous deux, nous avons vaillamment tenu le coup jusqu'à présent ; et c'est ce que nous ferons encore pendant le peu de temps qu'il faudra.

NORA, *allant vers le poêle.*

Oui, oui, comme tu voudras, Torvald.

HELMER, *qui la suit.*

Bon, bon. La petite alouette ne va pas traîner de l'aile, maintenant. Allons bon ! Voilà mon écureuil qui boude ! *(Il sort son porte-monnaie.)* Nora, que crois-tu que j'aie là-dedans ?

NORA, *se retournant brusquement.*

De l'argent !

HELMER

Tiens ! *(Il lui tend quelques billets.)* Mon Dieu, je sais bien qu'il y a de grosses dépenses dans une maison au moment de Noël.

NORA, *comptant.*

Dix — vingt — trente — quarante. Oh ! merci, Torvald. Je vais aller loin avec ça.

HELMER

Hé ! Il faudra bien !

NORA

Oui, oui, sûrement. Mais viens ici, je vais te montrer tout ce que j'ai acheté. Et si bon marché ! Regarde — des habits neufs pour Ivar — et puis un sabre. Et puis un cheval et une trompette pour Bob. Et voici une poupée avec un lit pour Emmy ; il est tout simple, bien sûr. De toute façon, elle le mettra sûrement bientôt en pièces. Et voici des tabliers et du tissu pour faire des robes, pour les bonnes. Bien sûr, il faudrait donner beaucoup plus à la vieille Hélène…

HELMER

Et qu'est-ce qu'il y a dans ce paquet-là ?

NORA, *poussant un cri.*

Non, Torvald, tu ne dois pas le regarder avant ce soir !

HELMER

Bon, bon. Mais dis-moi, petit panier percé, pour toi, à quoi as-tu pensé ?

NORA

Oh ! pfff ! Je n'ai envie de rien, moi, tout simplement.

HELMER

Mais si ! Dis-moi quelque chose de raisonnable et qui te ferait plaisir.

NORA

Eh bien ! Je ne sais vraiment pas. Si ! Écoute, Torvald…

HELMER

Eh bien ?

NORA, *lui tripotant les boutons de sa veste sans le regarder.*

Si tu veux me donner quelque chose, tu pourrais sûrement… tu pourrais…

HELMER

Eh bien ! eh bien ! dis-le.

NORA, *vite.*

Tu pourrais me donner de l'argent, Torvald. Seulement ce dont tu penses pouvoir disposer. Ensuite, un de ces jours, j'achèterai quelque chose avec.

HELMER

Mais, Nora…

NORA

Oh si ! fais-le, Torvald chéri, je t'en prie. Et je suspendrai cet argent dans un joli papier doré à l'arbre de Noël. Ce serait formidable, tu ne crois pas ?

HELMER

Comment donc appelle-t-on l'oiseau qui ne cesse de gaspiller ?

NORA

Oui, oui, un étourneau, je le sais assez. Mais faisons comme je dis, Torvald. Comme ça, j'aurai le temps de réfléchir à ce qui m'est le plus utile. Est-ce que ce n'est pas très raisonnable, dis ?

HELMER, *souriant.*

Sûrement que oui. C'est-à-dire, si tu savais vraiment garder l'argent que je te donne et t'acheter quelque chose. Mais cet argent va passer au ménage et à mille choses inutiles, et alors, il faudra que, de nouveau, je délie les cordons de la bourse.

NORA

Oh ! mon Torvald...

HELMER

Il n'y a pas à le nier, ma petite Nora chérie. *(Lui passant le bras autour de la taille.)* L'étourneau est mignon, mais il lui faut tant d'argent. C'est incroyable ce que ça coûte à un homme d'entretenir un étourneau.

NORA

Oh ! pouah ! Comment peux-tu dire ça ? J'économise vraiment tout ce que je peux, pourtant.

HELMER, *riant.*

Eh ! Voilà qui est vrai ! Tout ce que tu peux. Mais tu ne peux tout simplement pas du tout.

NORA, *chantonnant et souriant gaiement.*

Hum ! Si seulement tu savais, Torvald, tous les

frais que nous avons, nous autres alouettes et écureuils.

HELMER

Tu es une drôle de petite chose. Tout à fait comme ton père. Tu es pleine de ressources pour trouver de l'argent, mais dès que tu en as, il te glisse entre les doigts pour ainsi dire ; tu ne sais jamais ce que tu en fais. Enfin ! il faut te prendre comme tu es. Tu as ça dans le sang. Si, si, si, ces choses-là sont héréditaires, Nora.

NORA

Ah ! je voudrais avoir hérité de bien des traits de papa.

HELMER

Et moi, je ne te désire pas autrement que tu es, ma mignonne petite alouette. Mais écoute, il me vient une idée. Tu as l'air si… si… comment appeler ça… si mystérieuse aujourd'hui…

NORA

Vraiment ?

HELMER

Oui, vraiment. Regarde-moi droit dans les yeux.

NORA, *le regardant.*

Eh bien ?

HELMER, *la menaçant du doigt.*

Mon bec fin n'aurait pas fait un tour en ville aujourd'hui ?

NORA

Non. Comment peux-tu avoir cette idée ?

HELMER

Mon bec fin n'a vraiment pas fait un détour par la pâtisserie ?

NORA

Non, je t'assure, Torvald…

HELMER

Il n'a pas picoré un peu de confiture ?

NORA

Non, pas du tout.

HELMER

Pas même grignoté un ou deux macarons ?

NORA

Non, Torvald, je t'assure que non.

HELMER

Bon, bon, bon, je plaisantais, naturellement.

NORA, *allant à la table de droite.*

L'idée ne me viendrait pas d'agir contre ton gré.

HELMER

Oui, je le sais bien ; et tu m'as donné ta parole, n'est-ce pas ?... *(Allant vers elle.)* Bon, garde pour toi tes petits secrets de Noël, ma Nora chérie. On les découvrira ce soir, quand l'arbre de Noël sera allumé, j'imagine.

NORA

As-tu pensé à inviter le docteur Rank ?

HELMER

Non, mais ce n'est pas la peine ; il viendra dîner avec nous, cela va de soi. Du reste, je l'inviterai quand il viendra ici dans la matinée. J'ai commandé du bon vin. Nora, tu ne peux imaginer comme je me réjouis pour ce soir.

NORA

Moi aussi. Et comme les enfants vont être heureux, Torvald !

HELMER

Ah ! c'est tout de même splendide de songer que l'on est arrivé à une situation sûre, stable, et que l'on a sa subsistance largement assurée. Pas vrai ? C'est bien agréable de penser à ça.

NORA

Oh ! c'est merveilleux !

HELMER

Tu te rappelles Noël dernier ? Les trois semaines qui précédaient, tu t'étais enfermée chaque soir jusque bien après minuit pour confectionner des fleurs pour l'arbre de Noël et mille autres surprises magnifiques. Hou ! c'est l'époque la plus désagréable que j'aie vécue.

NORA

Mais je ne me suis pas ennuyée du tout, moi.

HELMER, *souriant.*

N'empêche que le résultat avait tout de même été assez piteux, Nora.

NORA

Oh ! tu ne vas pas me taquiner là-dessus, encore ? Est-ce ma faute si le chat est entré et a tout mis en pièces ?

HELMER

Non, certes, ma pauvre petite Nora. Tu voulais vraiment nous faire plaisir à tous, et c'est l'essentiel. Mais c'est bien tout de même que ces temps difficiles soient passés.

NORA

Oui, c'est vraiment merveilleux.

HELMER

Maintenant, je n'aurai plus à rester ici tout seul à m'ennuyer ; et tu n'auras plus besoin de torturer tes yeux bénis et tes jolies petites mains…

NORA, *battant des mains.*

Non, n'est-ce pas, Torvald, ce n'est plus la peine ! Oh ! c'est merveilleux ! *(Passant son bras sous celui de Helmer.)* Maintenant, je vais te dire ce que j'avais envisagé que nous ferions, Torvald. Dès que Noël sera passé… *(On sonne dans l'entrée.)* Oh ! on sonne. *(Elle met un peu d'ordre dans le salon.)* Voilà quelqu'un. C'est bien ennuyeux.

HELMER

Pour les visites, rappelle-toi que je n'y suis pour personne.

LA BONNE, *à la porte d'entrée.*

Madame, c'est une dame inconnue…

NORA

Bien. Faites-la entrer.

LA BONNE, *à Helmer.*

Le docteur est arrivé en même temps.

HELMER

Il est entré directement chez moi ?

LA BONNE

Oui.

Helmer rentre dans son cabinet. La Bonne fait entrer dans le salon MME LINDE, *qui est en costume de voyage, et referme derrière elle.*

MADAME LINDE, *timidement et un peu hésitante.*

Bonjour, Nora.

NORA, *indécise.*

Bonjour…

MADAME LINDE

Tu ne me reconnais sûrement pas.

NORA

Non, je ne sais pas… Mais si, il me semble bien… *(S'écriant.)* Quoi ! Kristine ! C'est toi !

MADAME LINDE

Oui, c'est moi.

NORA

Kristine ! Et moi qui ne te reconnaissais pas ! Mais comment aurais-je pu aussi… *(Plus bas.)* Comme tu as changé, Kristine !

MADAME LINDE

Oui, sûrement. En neuf ans… dix ans même, je crois…

NORA

Y a-t-il si longtemps que nous ne nous sommes pas vues ? Oui, ce doit être ça. Oh ! ces huit dernières années ont été une période heureuse, tu sais. Et ainsi, te voilà en ville, et tu as fait ce long voyage en hiver ? C'est courageux.

MADAME LINDE

Je suis arrivée ce matin, par le vapeur.

NORA

Pour passer les fêtes de Noël, bien entendu. Oh ! c'est formidable ! Comme nous allons nous amuser ! Mais enlève donc ton manteau, tu n'as sûrement pas froid ! *(L'aidant.)* Voilà. Maintenant, asseyons-nous confortablement près du poêle. Non, dans le fauteuil, là. Moi, je m'assois ici, dans le fauteuil à bascule. *(Lui prenant les mains.)* Oui, maintenant, tu as retrouvé ton visage d'autrefois ; c'était seulement au premier moment… Tu as tout de même un peu pâli, Kristine… et peut-être un peu maigri.

MADAME LINDE

Et beaucoup, beaucoup vieilli, Nora.

NORA

Oui, peut-être un peu vieilli… un tout petit peu, vraiment pas beaucoup. *(Elle s'arrête soudain, puis, gravement.)* Oh ! mais quelle étourdie je fais, à rester là à bavarder ! Chère, bien chère Kristine, peux-tu me pardonner ?

MADAME LINDE

Te pardonner quoi, Nora ?

NORA, *plus bas.*

Pauvre Kristine, tu es veuve.

MADAME LINDE

Oui, depuis trois ans.

NORA

Oh ! je le savais, pourtant, je l'ai lu dans les journaux. Oh ! Kristine, il faut me croire, j'ai souvent voulu t'écrire à cette époque-là ; mais je remettais toujours à plus tard, il y avait toujours un empêchement.

MADAME LINDE

Chère Nora, je comprends très bien.

NORA

Non, comme c'est mal de ma part, Kristine. Oh ! ma pauvre, combien d'épreuves tu as dû traverser… Et bien sûr, il ne t'a rien laissé pour vivre ?

MADAME LINDE

Non.

NORA

Et pas d'enfants ?

MADAME LINDE

Non.

NORA

Ainsi, absolument rien ?

MADAME LINDE

Pas même un chagrin ou un manque : de ces choses qui vous occupent…

NORA, *la regardant, incrédule.*

Mais, Kristine, comment peux-tu parler ainsi ?

MADAME LINDE, *souriant amèrement et lui caressant les cheveux.*

Oh, cela arrive parfois, Nora.

NORA

Tellement seule. Comme cela doit te peser effroyablement. Moi, j'ai trois enfants délicieux. Oui, tu ne peux pas les voir pour le moment, ils sont sortis avec la bonne. Mais il faut que tu me racontes tout, à présent…

MADAME LINDE

Non, non, non, raconte, toi, plutôt.

NORA

Non, c'est toi qui dois commencer. Aujourd'hui, je ne veux pas être égoïste. Je ne veux penser qu'à toi. Mais il y a quelque chose, tout de même, qu'il faut que je te dise. Sais-tu le grand bonheur qui nous est arrivé ces jours-ci ?

MADAME LINDE

Non. Qu'est-ce que c'est ?

NORA

Pense donc. Mon mari est devenu directeur de la banque.

MADAME LINDE

Ton mari ? Oh ! quelle chance !

NORA

Oui, formidable ! Parce qu'être avocat c'est bien précaire, surtout quand on ne veut s'occuper que de bonnes et belles causes. Et bien entendu, c'était le cas de Torvald, et là-dessus, je suis parfaitement d'accord avec lui. Oh ! tu penses comme nous sommes heureux ! Il doit prendre son poste dès le Nouvel An et alors, il aura un gros traitement et beaucoup de gratifications. Désormais, nous allons vivre tout à fait autrement... absolument comme nous voudrons. Oh ! Kristine ! comme je me sens légère et heureuse ! Oui, parce que c'est délicieux d'avoir beaucoup d'argent et de ne pas avoir à se faire de soucis. Pas vrai ?

MADAME LINDE

Oui, en tout cas, ce doit être bien bon d'avoir le nécessaire.

NORA

Oh, pas seulement le nécessaire, mais vraiment beaucoup, beaucoup d'argent !

MADAME LINDE, *souriant.*

Nora, Nora, tu n'es toujours pas devenue raisonnable ! À l'école déjà, tu étais une grande dépensière.

NORA, *souriant doucement.*

Oui, Torvald dit que je le suis encore. *(Menaçant du doigt.)* Mais « Nora, Nora » n'est pas aussi folle que vous le pensez… Oh ! en vérité, je n'ai pas été en mesure de gaspiller tellement. Nous avons dû travailler tous les deux.

MADAME LINDE

Toi aussi ?

NORA

Oui, à de petites choses, des petits travaux, du crochet, de la broderie, tout ça… *(négligemment)* et autre chose aussi. Tu sais sans doute que Torvald a quitté le ministère quand nous nous sommes mariés ? Il n'y avait aucune perspective d'avancement dans son bureau et puis, n'est-ce pas, il fallait qu'il gagne plus d'argent qu'avant. Mais la première année de notre mariage, il s'est épouvantablement surmené. Il a dû faire toutes sortes de travaux supplémentaires, tu sais, il travaillait du matin au soir, longtemps, et il est tombé gravement malade. Alors, les médecins ont décrété qu'il devait prendre du repos dans le Midi.

MADAME LINDE

Oui, vous êtes allés vivre toute une année en Italie, n'est-ce pas ?

NORA

Oh ! ça n'a pas été facile de partir, tu penses. Ivar venait de naître. Mais il fallait partir, bien entendu. Oh ! quel formidable, quel délicieux voyage cela a été. Et cela a sauvé la vie de Torvald. Mais cela a coûté terriblement cher, Kristine.

MADAME LINDE

Je pense bien.

NORA

Douze cents rixdales cela a coûté, quatre mille huit cents couronnes. C'est beaucoup d'argent, vois-tu.

MADAME LINDE

Oui, mais dans des cas comme celui-là, c'est une grande chance que de les avoir.

NORA

Oui, je vais te dire, c'est papa qui nous les a données.

MADAME LINDE

Ah bon ! C'était juste à l'époque où ton père est mort, il me semble ?

NORA

Oui, Kristine, c'était juste à ce moment-là. Et pense donc, je n'ai même pas pu aller m'occuper de lui. J'étais ici, n'est-ce pas, et j'attendais de jour en jour la naissance du petit Ivar. Et puis, bien sûr, j'avais mon pauvre Torvald, malade à mourir, et que je devais soigner. Cher papa, si gentil ! Je n'ai jamais pu le revoir, Kristine ! Oh ! c'est ce que j'ai vécu de plus cruel depuis mon mariage.

MADAME LINDE

Oui, je sais, tu l'aimais beaucoup. Et donc, vous êtes partis pour l'Italie ?

NORA

Oui. Nous avions l'argent. Et les médecins nous pressaient. Alors, nous sommes partis, un mois après.

MADAME LINDE

Et ton mari est revenu tout à fait guéri ?

NORA

Frais comme un gardon !

MADAME LINDE

Mais… ce médecin ?

NORA

Quel médecin ?

MADAME LINDE

Il me semble que la bonne a annoncé un docteur, tout à l'heure, le monsieur qui est arrivé en même temps que moi.

NORA

Ah oui ! c'est le docteur Rank, mais il ne vient pas en médecin. C'est notre meilleur ami, et il vient nous voir au moins une fois par jour. Non, Torvald n'a jamais eu la moindre rechute depuis. Et les enfants sont en parfaite santé, et moi aussi. *(Elle se lève d'un bond en frappant des mains.)* Oh ! mon Dieu ! mon Dieu ! Kristine, comme c'est merveilleux de vivre et d'être heureuse… Oh mais ! que c'est abominable de ma part… je ne parle que de mes propres affaires. *(Elle s'assoit sur un tabouret tout près de Mme Linde et lui met les bras autour des genoux.)* Oh ! il ne faut pas m'en vouloir !... Dis-moi, est-ce que c'est bien vrai que tu n'aimais pas ton mari ? Alors, pourquoi l'as-tu épousé ?

MADAME LINDE

Ma mère était encore en vie ; elle gardait le lit, elle n'avait aucune aide. Et puis, il fallait que je m'occupe de mes deux jeunes frères. Il m'a semblé que je n'avais pas le droit de rejeter sa demande.

NORA

Oui, tu as eu raison, sans doute. Et il était riche à ce moment-là ?

MADAME LINDE

Il était tout à fait à son aise, en tout cas. Mais c'étaient des affaires qui n'étaient pas sûres, Nora. Quand il est mort, tout est allé à vau-l'eau, et il n'en est rien resté.

NORA

Et alors... ?

MADAME LINDE

Alors, il a fallu que je vivote avec un petit commerce, avec une petite école que j'ai dirigée, enfin, tout ce que j'ai pu trouver. Ces trois dernières années ont été comme un interminable jour de travail sans repos, pour moi. Maintenant, c'est fini, Nora. Ma pauvre mère n'a plus besoin de moi car elle est partie. Et les garçons non plus :

ils ont trouvé une place maintenant, ils peuvent subvenir à leurs besoins.

NORA

Comme tu dois te sentir soula…

MADAME LINDE

Mais non. Simplement vide, indiciblement vide. Plus de raison de vivre. *(Elle se lève, agitée.)* C'est pourquoi je ne supporte plus de rester là-bas dans ce petit coin perdu. Ici, en ville, il doit tout de même être plus facile de trouver quelque chose qui vous occupe et accapare vos pensées. Si seulement j'avais la chance de trouver une place fixe, un quelconque travail de bureau…

NORA

Oui, mais, Kristine, c'est terriblement astreignant, et tu as l'air si fatiguée. Ce serait beaucoup mieux pour toi d'aller en cure.

MADAME LINDE, *allant vers la fenêtre.*

Je n'ai pas de papa, moi, qui puisse m'offrir le voyage, Nora.

NORA, *se levant.*

Oh ! ne sois pas fâchée !

MADAME LINDE, *allant vers elle.*

Chère Nora, c'est toi qui ne dois pas m'en vouloir. Le pire, dans une situation comme la mienne, c'est qu'elle vous met tant d'amertume au cœur. On n'a personne pour qui travailler, et pourtant, il faut chercher de tous côtés pour subsister. Il faut bien vivre. Alors, on devient égoïste. Quand tu m'as raconté l'heureux changement de votre situation — le croiras-tu ? — ce n'est pas tellement pour toi que je me suis réjouie, c'est pour moi.

NORA

Comment cela ? Oh ! je te comprends. Tu veux dire que Torvald pourrait faire quelque chose pour toi, peut-être.

MADAME LINDE

Oui, c'est ce que j'ai pensé.

NORA

Il le fera, Kristine. Laisse-moi faire, seulement ; je vais si bien présenter la chose, si bien… trouver quelque chose de gentil pour le mettre dans de bonnes dispositions. Oh ! j'aimerais tellement te rendre service.

MADAME LINDE

Comme c'est gentil à toi, Nora, de te donner tant de peine pour moi… doublement gentil venant de toi qui connais si peu les misères et les difficultés de la vie.

NORA

Moi… ? Je connais si peu les… ?

MADAME LINDE, *souriant.*

Eh bien ! Mon Dieu ! des petits travaux manuels et des babioles de ce genre… Tu es une enfant, Nora.

NORA, *hochant la tête et arpentant la pièce.*

Tu ne devrais pas dire ça si cavalièrement.

MADAME LINDE

Comment ça ?

NORA

Tu es comme les autres. Vous croyez tous que je ne suis bonne à rien de vraiment sérieux…

MADAME LINDE

Allons, allons !

NORA

… que je n'ai rien connu des difficultés de la vie.

MADAME LINDE

Mais, chère Nora, tu viens de me raconter toutes tes misères.

NORA

Pfff !… ces bagatelles ! *(À voix basse.)* Je ne t'ai pas raconté le principal.

MADAME LINDE

Comment ça, le principal ? Que veux-tu dire ?

NORA

Tu as tendance à me mépriser, Kristine, tu ne devrais pas. Tu es fière d'avoir travaillé si dur et si longtemps pour ta mère.

MADAME LINDE

Détrompe-toi, Nora, je ne méprise personne. Mais ce que tu dis est vrai : oui, je suis à la fois heureuse et fière en pensant que j'ai pu alléger un peu les derniers jours de ma mère.

NORA

Et tu es fière aussi quand tu penses à ce que tu as fait pour tes frères ?

MADAME LINDE

Il me semble que j'en ai le droit.

NORA

Bien sûr. Mais je vais t'apprendre quelque chose, Kristine. Moi aussi, j'ai un sujet de fierté et de satisfaction.

MADAME LINDE

Je n'en doute pas, mais que veux-tu dire ?

NORA

Parle plus bas. Pense donc, si Torvald entendait !

Pour rien au monde, je ne voudrais qu'il... Personne ne doit le savoir, Kristine, personne en dehors de toi.

MADAME LINDE

Mais qu'est-ce que c'est donc ?

NORA

Viens là plus près. *(Elle l'amène à s'asseoir sur le sofa à côté d'elle.)* Oui, tu vois... moi aussi, il y a quelque chose dont j'ai lieu d'être heureuse et fière. C'est moi qui ai sauvé la vie de Torvald.

MADAME LINDE

Sauvé ? Comment cela, sauvé ?

NORA

Je t'ai parlé de ce voyage en Italie, n'est-ce pas ? Torvald n'en aurait pas réchappé s'il n'était pas allé là-bas...

MADAME LINDE

Eh bien, oui ! Ton père t'a donné l'argent nécessaire...

NORA, *souriant.*

Oui, c'est ce que croient Torvald et tout le monde. Mais...

MADAME LINDE

Mais... ?

NORA

Papa ne nous a pas donné un sou. C'est moi qui me suis procuré l'argent.

MADAME LINDE

Toi ? Une somme pareille ?

NORA

Douze cents rixdales. Quatre mille huit cents couronnes. Qu'est-ce que tu en dis ?

MADAME LINDE

Mais, Nora, comment est-ce possible ? Tu avais donc gagné à la loterie ?

NORA, *avec mépris.*

À la loterie ? *(Soufflant.)* Où aurait été le mérite ?

MADAME LINDE

Alors, où les as-tu trouvées ?

NORA, *chantonnant et souriant mystérieusement.*

Hum ! Tra la la la !

MADAME LINDE

Parce que, les emprunter, tu ne pouvais pas, n'est-ce pas ?

NORA

Ah bon ? Et pourquoi pas ?

MADAME LINDE

Tu sais bien qu'une femme mariée ne peut pas emprunter sans le consentement de son mari.

NORA, *hochant la tête.*

Oh ! s'il s'agit d'une femme qui s'entend un rien aux affaires… d'une femme qui sait s'y prendre avec un peu d'intelligence, alors…

MADAME LINDE

Nora, je ne comprends absolument pas…

NORA

Tu n'as pas besoin de comprendre. Qui dit que j'aie emprunté de l'argent ? J'ai pu le trouver d'une autre façon, non ? *(Se renversant dans le sofa.)* Je peux bien l'avoir reçu d'un admirateur. Quand on a mon charme…

MADAME LINDE

Tu es folle.

NORA

Avoue que te voilà bien curieuse, Kristine.

MADAME LINDE

Oui, dis-moi, chère Nora… n'as-tu pas agi un peu inconsidérément ?

NORA, *se redressant.*

Est-ce inconsidéré de sauver la vie de son mari ?

MADAME LINDE

Il me semble qu'il est inconsidéré d'avoir, à son insu…

NORA

Mais voyons, justement, il ne devait rien savoir ! Mon Dieu ! Tu ne comprends pas ça ? Il ne devait même pas connaître la gravité de son état. C'est à moi que les médecins venaient dire que sa vie était en danger ; que rien d'autre qu'un séjour dans le Midi ne pourrait le sauver. Crois-tu que je n'aie pas essayé de ruser ? Je ne cessais de lui dire à quel point ce serait merveilleux pour moi de pouvoir aller à l'étranger comme les autres jeunes femmes dans mon état ; je le suppliais, je lui disais : « Rappelle-toi, s'il te plaît, dans quel état je suis », je lui demandais d'être gentil, de faire selon mes désirs. Et puis j'insinuais qu'il pouvait bien faire un emprunt. Mais cela le rendait furieux, Kristine. Il me traitait d'étourdie, il disait que c'était son devoir de mari de ne pas céder à mes caprices et à mes lubies… comme il appelait ça, je crois bien. « Bon, bon, pensais-je, on te sauvera. » Et c'est alors que j'ai trouvé un expédient.

MADAME LINDE

Et ton mari n'a pas appris de ton père que l'argent ne venait pas de lui ?

NORA

Non, jamais. Papa est mort quelques jours après. J'avais pensé le mettre au courant de tout en le priant de ne rien révéler. Mais il était si malade… Hélas ! ça n'a pas été nécessaire.

MADAME LINDE

Et depuis, tu ne t'es jamais confiée à ton mari ?

NORA

Non, pour l'amour du Ciel, comment peux-tu penser ça ? Torvald qui est si strict là-dessus ! Et de plus, avec son amour-propre masculin, quelle torture, quelle humiliation pour lui de savoir qu'il me devrait quelque chose. Ça aurait complètement bouleversé nos rapports ; notre beau foyer heureux ne serait pas devenu ce qu'il est maintenant.

MADAME LINDE

Et tu ne lui diras jamais ?

NORA, *pensive, souriant à demi.*

Si — un jour, peut-être —dans bien des années, quand je ne serai plus aussi jolie que maintenant. Mais ne ris pas de ça ! Je veux dire : quand je ne plairai plus autant à Torvald, quand il ne prendra plus de plaisir à me voir danser, me travestir et déclamer pour lui. Alors, il sera peut-être bon d'avoir quelque chose en réserve… *(S'interrompant.)*

Bêtises, bêtises, bêtises ! Ce temps-là ne viendra jamais. Eh bien ! que dis-tu de mon grand secret, Kristine ? Est-ce que, moi aussi, je ne suis pas bonne à quelque chose ?... Du reste, tu peux croire que toute cette affaire m'a valu bien des soucis. Ça n'a pas été facile pour moi de faire face à mes obligations à dates fixes. Figure-toi qu'il y a dans le monde des affaires quelque chose qui s'appelle « intérêts trimestriels » et quelque chose qui s'appelle « amortissement », et tout ça est terriblement difficile à respecter. Alors, il a fallu que j'épargne un peu sur tout, comme je pouvais, vois-tu. Il n'était pas possible de mettre beaucoup de côté sur l'argent de la maison, bien sûr, parce qu'il fallait que Torvald vive bien. Pour les enfants, je ne pouvais pas les laisser aller mal habillés, ce que je recevais pour eux devait leur revenir entièrement. Ils sont tellement mignons.

MADAME LINDE

Alors, ainsi, ce sont tes dépenses personnelles qui en ont fait les frais, pauvre Nora ?

NORA

Mais oui, naturellement. D'ailleurs, c'était moi aussi que ça concernait de plus près. Chaque fois que Torvald me donnait de l'argent pour mes toilettes, je n'en dépensais jamais plus de la moitié, j'achetais toujours le plus simple et le meilleur marché. C'est une chance divine que tout m'aille si bien, Torvald n'a jamais rien remarqué. Mais plus d'une fois, ça m'a paru bien dur Kristine, parce que c'est formidable, tout de même, d'être bien habillée. Pas vrai ?

MADAME LINDE

Bien sûr.

NORA

Bon. Et puis j'ai eu d'autres revenus aussi. L'hiver dernier, j'ai eu la chance de trouver beaucoup de travaux de copie à faire. Je m'enfermais dans ma chambre et je restais à écrire tous les soirs jusque bien tard dans la nuit. Ah ! bien des fois, j'étais fatiguée, tellement fatiguée. Mais tout de même, c'était vraiment extraordinaire de travailler comme ça, pour gagner de l'argent. C'était presque comme si j'avais été un homme.

MADAME LINDE

Mais combien es-tu parvenue à rembourser comme ça ?

NORA

Oh ça ! je ne peux pas le dire au juste. Des affaires de ce genre-là, vois-tu, c'est très difficile à tirer au clair. Je sais seulement que j'ai payé tout ce que j'ai pu. Bien des fois, je ne savais plus où donner de la tête. *(Elle sourit.)* Alors, je m'imaginais qu'un vieux monsieur très riche était tombé amoureux de moi...

MADAME LINDE

Quoi ! Quel monsieur ?

NORA

Oh ! des bêtises... il était mort, et quand on ouvrait son testament, il y avait écrit en toutes lettres : « On versera comptant, sur-le-champ, tout mon argent à l'adorable Mme Nora Helmer. »

MADAME LINDE

Mais chère Nora... qui est ce monsieur ?

NORA

Seigneur Dieu, voyons, Kristine ! Ce vieux monsieur n'existe tout simplement pas, c'est seulement une idée qui me revenait sans cesse quand je ne voyais aucun moyen de trouver de l'argent. Mais ça n'a plus d'importance, ce vieux type assommant, qu'il reste où il est, je me moque de lui et de son testament, parce que maintenant, je suis tranquille. *(Se levant d'un bond.)* Oh Dieu ! Que c'est bon tout de même de penser à ça, Kristine. Tranquille ! Pouvoir être tranquille, absolument tranquille. Jouer avec les enfants. Avoir une maison jolie et coquette, comme Torvald l'apprécie ! Et pense donc ! bientôt viendra le printemps avec son grand ciel bleu. Alors, nous pourrons peut-être voyager un peu. Je pourrai revoir la mer. Oh ! oui, oui, c'est vraiment merveilleux de vivre et d'être heureuse !

On entend sonner dans le vestibule.

MADAME LINDE, *se levant.*

On sonne. Il vaut peut-être mieux que je m'en aille.

NORA

Mais non, reste. Ici, personne ne viendra... sûrement. C'est sans doute pour Torvald...

LA BONNE, *à la porte du vestibule.*

Excusez-moi, Madame... Il y a là un monsieur qui veut parler à l'avocat...

NORA

Au directeur, tu veux dire ?

LA BONNE

Oui, au directeur. Mais... comme le docteur est avec lui... je ne savais pas...

NORA

Qui est ce monsieur ?

L'AVOCAT KROGSTAD, *à la porte du vestibule.*

C'est moi, madame.

Mme Linde tressaille, se trouble et se tourne vers la fenêtre.

NORA *fait un pas vers lui, tendue, à mi-voix.*

Vous ? Qu'est-ce qu'il y a ? Que voulez-vous dire à mon mari ?

KROGSTAD

Eh bien, c'est à propos de la banque… Voyez-vous, j'ai un « petit poste » à la banque, et j'ai appris que votre mari va devenir notre « chef », n'est-ce pas ?

NORA

En effet…

KROGSTAD

Oh ! ce ne sont que des affaires assommantes, madame. Rigoureusement rien d'autre.

NORA

Bon, alors, donnez-vous la peine d'entrer dans le bureau.

Elle salue avec indifférence tout en fermant la porte de l'antichambre ; sur quoi elle va s'occuper du poêle.

MADAME LINDE

Nora… qui est cet homme ?

NORA

C'est un certain Krogstad, un avocat.

MADAME LINDE

Ainsi, c'est bien lui.

NORA

Tu le connais ?

MADAME LINDE

Je l'ai connu… il y a bien des années. Il a été clerc d'avoué chez nous pendant un certain temps.

NORA

Oui, c'est exact.

MADAME LINDE

Comme il a changé.

NORA

Il a fait un mariage très malheureux, je crois.

MADAME LINDE

Il est veuf maintenant, n'est-ce pas ?

NORA

Avec beaucoup d'enfants. Aïe, voilà que je me brûle.

Elle ferme la porte du poêle et pousse un peu à l'écart le fauteuil à bascule.

MADAME LINDE

Il s'occupe de toutes sortes d'affaires, n'est-ce pas, à ce qu'on dit ?

NORA

Ah bon ? Oui, c'est bien possible, je n'en sais rien… Mais ne parlons pas d'affaires, c'est tellement ennuyeux.

Le docteur RANK *arrive du cabinet de Helmer.*

RANK, *encore à la porte.*

Non, non, je ne veux pas te déranger, je préfère entrer un instant chez ta femme. *(Il ferme la porte et découvre Mme Linde.)* Oh ! pardon, je dois déranger, ici aussi.

NORA

Non, pas du tout. *(Faisant les présentations.)* Docteur Rank, Mme Linde.

RANK

Ah tiens ! Un nom que l'on entend souvent dans cette maison. Je crois vous avoir dépassée dans l'escalier, tout à l'heure.

MADAME LINDE

Oui, je monte très lentement, c'est une chose que je supporte mal.

RANK

Ah ! ah ! un petit quelque chose qui ne va pas ?

MADAME LINDE

Du surmenage, plutôt.

RANK

Rien d'autre ? Ainsi, vous êtes venue en ville pour vous reposer en courant de banquet en banquet !

MADAME LINDE

Je suis venue ici pour chercher du travail.

RANK

Faut-il considérer cela comme un moyen sûr de lutter contre le surmenage ?

MADAME LINDE

Il faut vivre, docteur.

RANK

Oui, on trouve cela nécessaire, en général.

NORA

Oh ! vous savez, docteur Rank... Vous aussi, vous tenez à vivre, ma foi...

RANK

Oui, bien sûr que j'y tiens. Si misérable que je sois, je veux absolument être torturé aussi longtemps que possible. Tous mes malades sont dans le même cas. Et c'est la même chose pour ceux qui sont atteints moralement. Il y a justement chez Helmer un homme, en ce moment, que l'on devrait traiter pour des maux de ce genre…

MADAME LINDE, *d'une voix étouffée.*

Ah !

NORA

Que voulez-vous dire ?

RANK

Eh bien ! Il y a là un certain avocat Krogstad, un homme que vous ne connaissez pas. Il est pourri jusqu'aux racines, madame. Eh bien ! lui aussi attache une extrême importance à vouloir vivre.

NORA

Ah ! de quoi voulait-il parler avec Torvald ?

RANK

À vrai dire, je ne sais pas. J'ai seulement entendu qu'il était question de la banque.

NORA

Je ne savais pas que Krog… que cet avocat Krogstad avait quelque chose à faire avec la banque.

RANK

Si ! On lui a trouvé une sorte d'emploi. *(À*

Mme Linde.) Je ne sais pas si, chez vous aussi, là-bas, il existe des gens de cette espèce qui se démènent sans répit pour dénicher de la pourriture morale. Dès qu'ils ont jeté leur dévolu sur un individu de ce genre, ils le mettent en observation en lui trouvant une position avantageuse. Pour les êtres sains, ils n'ont qu'à rester dehors.

MADAME LINDE

Tout de même, ce sont bien les malades qui ont le plus besoin d'être soignés.

RANK, *haussant les épaules.*

Ah ! nous y voilà. C'est ce genre de considérations qui transforme la société en hôpital.

Nora, perdue dans ses pensées, éclate d'un rire à demi contenu en battant des mains.

Pourquoi riez-vous ? Savez-vous seulement ce qu'est la société ?

NORA

Qu'ai-je à faire de votre assommante société ? Je riais de tout autre chose... quelque chose d'extraordinairement amusant... Dites-moi, docteur Rank... tous ceux qui sont employés à la banque vont donc maintenant dépendre de Torvald ?

RANK

C'est vraiment cela que vous trouvez si extraordinairement amusant ?

NORA, *souriant et chantonnant.*

C'est mon affaire ! C'est mon affaire ! *(Allant et venant dans la pièce.)* Oui, vraiment, c'est fantastique de penser que nous... que Torvald a acquis tant d'influence sur tant de gens. *(Elle sort un sac de sa poche.)* Docteur Rank, un petit macaron ?

RANK

Tiens ! Tiens ! Des macarons. Je croyais que c'était une denrée interdite, ici.

NORA

Oui, mais ceux-là, c'est Kristine qui me les a donnés.

MADAME LINDE

Quoi ? Moi ?...

NORA

Bon, bon, bon. N'aie pas peur. Tu ne pouvais évidemment pas savoir que Torvald me l'a défendu. Je vais te dire, il a peur que ça me donne de vilaines dents. Mais pfff !... pour une fois... N'est-ce pas, docteur Rank ? Je vous en prie ! *(Elle lui fourre un macaron dans la bouche.)* Et toi aussi, Kristine. Pour moi, je vais en prendre un, rien qu'un petit... ou deux, au maximum. *(Elle reprend sa marche.)* Oui, vraiment, je suis démesurément heureuse. Maintenant, il ne reste plus qu'une seule chose au monde dont j'aurais follement envie.

RANK

Et qu'est-ce que c'est ?

NORA

C'est une chose que j'aurais une envie folle de dire devant Torvald.

RANK

Et pourquoi donc ne pouvez-vous pas le dire ?

NORA

Non, je n'ose pas, c'est tellement vilain.

MADAME LINDE

Vilain ?

RANK

Bon, alors, il vaut mieux vous en abstenir. Mais à nous, vous pouvez bien… Qu'est-ce que c'est que vous avez une telle envie de dire devant Helmer ?

NORA

J'ai une envie folle de dire : « Sacré nom d'un chien ! »

RANK

Vous êtes folle ?

MADAME LINDE

Mais voyons, Nora !…

RANK

C'est le moment : voilà Helmer.

NORA, *cachant le sac de macarons.*

Chut ! chut ! chut !

Helmer, son manteau sur le bras et son chapeau à la main, arrive de son cabinet.

NORA, *allant vers lui.*

Eh bien ! cher Torvald, tu as réussi à t'en débarrasser ?

HELMER

Oui, il vient de partir.

NORA

Puis-je te présenter... Voici Kristine qui est venue en ville.

HELMER

Kristine ? Pardonnez-moi, mais je ne sais pas...

NORA

Mme Linde, Torvald, Mme Kristine Linde.

HELMER

Ah très bien ! Probablement une amie d'enfance de mon épouse ?

MADAME LINDE

Oui, nous nous sommes connues autrefois.

NORA

Et pense donc, elle a fait ce long voyage jusqu'ici pour pouvoir te parler.

HELMER

Comment cela ?

MADAME LINDE

Oh ! pas seulement…

NORA

Vois-tu, Kristine est extrêmement douée pour le travail de bureau et puis, elle meurt d'envie d'être sous les ordres d'un homme capable et d'en savoir plus que tout ce qu'elle sait déjà.

HELMER

C'est très sage, madame.

NORA

Et quand elle a appris que tu étais devenu directeur de la banque — il y a eu une dépêche pour l'annoncer — elle a fait le voyage aussi vite qu'elle a pu et… Oh ! Torvald, pour l'amour de moi, tu peux sûrement faire un petit quelque chose pour Kristine, dis ?

HELMER

Oui, ce n'est pas absolument impossible. Madame est probablement veuve ?

MADAME LINDE

Oui.

HELMER

Et elle a la pratique des affaires de bureau ?

MADAME LINDE

Oui, passablement.

HELMER

Eh bien alors, il est tout à fait probable que je pourrai vous trouver un emploi…

NORA, *battant des mains.*

Tu vois ! Tu vois !

HELMER

Vous arrivez au bon moment, madame…

MADAME LINDE

Oh ! comment vous remercier… ?

HELMER

Ce n'est vraiment pas la peine. *(Enfilant son manteau.)* Mais aujourd'hui, il faut m'excuser…

RANK

Attends. Je t'accompagne.

Il va chercher sa pelisse dans l'entrée et la réchauffe près du poêle.

NORA

Ne reste pas trop longtemps parti, cher Torvald.

HELMER

Une heure au plus.

NORA

Tu t'en vas aussi, Kristine ?

MADAME LINDE, *mettant son manteau.*

Oui, il faut que je me trouve une chambre.

HELMER

Alors, faisons un bout de chemin ensemble.

NORA, *l'aidant.*

Comme c'est ennuyeux que nous vivions tellement à l'étroit ! Mais il nous est impossible de…

MADAME LINDE

Mais tu n'y penses pas ! Au revoir, chère Nora, et merci de tout.

NORA

Au revoir, à bientôt. À ce soir. Naturellement, tu reviens. Et vous aussi, docteur Rank. Quoi ? Si vous allez bien ? Mais oui, bien sûr. Couvrez-vous bien.

Ils passent dans l'entrée tout en parlant à la ronde. On entend des voix d'enfants dans l'escalier.

Les voilà ! Les voilà !

Elle court ouvrir.

LA BONNE D'ENFANTS, *Anne-Marie, arrive avec* LES ENFANTS.

NORA

Entrez ! Entrez ! *(Elle se baisse pour les embrasser.)* Oh ! mes bien-aimés, mes chéris !... Tu les vois, Kristine ? Ils ne sont pas mignons !

RANK

Ne restez pas à bavarder dans le courant d'air !

HELMER

Venez, madame Linde. Laissons la place aux mères.

Le docteur Rank, Helmer et Mme Linde descendent l'escalier. La Bonne d'enfants entre dans le salon avec les enfants, Nora de même, tout en refermant la porte d'entrée.

NORA

Comme vous avez l'air vaillants et dispos. Non, comme vous avez les joues rouges ! Comme des pommes, comme des roses. *(Les enfants lui parlent tous ensemble pendant ce qui suit.)* Vous vous êtes bien amusés ? Ça, c'est magnifique ! Ah bon ! Tu as tiré Emmy et Bob sur la luge ? Ensemble ? Non, pense donc ! Oui, Ivar, tu es un garçon fort. Oh ! laisse-la-moi un peu, Anne-Marie. Ma mignonne petite poupée ! *(Elle prend la plus petite à la Bonne d'enfants et danse avec.)* Oui, oui, maman va danser avec Bob aussi. Comment ? Vous avez fait des boules de neige ? Oh ! que j'aurais voulu être avec vous ! Non, laisse-moi faire, Anne-Marie, je veux les déshabiller moi-même. Oh si ! laisse-moi ! C'est si amusant. Entre donc, tu as l'air toute gelée. Il y a du café chaud pour toi à la cuisine.

La Bonne d'enfants entre dans la pièce de gauche. Nora enlève les manteaux aux enfants et les jette au hasard, tout en les faisant raconter tous ensemble leur sortie.

Ah bon ! Pas possible ! il y avait un gros chien qui vous a couru après ? Mais il ne mordait pas ? Non, les chiens ne mordent pas les mignons petits enfants de poupée. Ne regarde pas dans les paquets, Ivar. Qu'est-ce que c'est ? Oh ! si seulement vous saviez ! Oh non ! non ! ça n'est pas beau. Comment ? Est-ce qu'on joue ? À quoi voulez-vous jouer ? À cache-cache ! Oui, on y joue. C'est Bob qui va se cacher le premier. C'est moi ? Bon, je vais me cacher.

Nora et les enfants jouent en riant et en criant dans le salon et dans la pièce contiguë à droite. Finalement, Nora se cache sous la table.

Les enfants entrent en trombe, la cherchent mais ne la trouvent pas. Ils entendent ses rires étouffés, se précipitent vers la table, soulèvent la nappe, la voient. Cris de joie. Elle sort à quatre pattes, comme pour les effrayer. Nouvelle explosion de joie. Pendant ce temps, on a frappé à la porte d'entrée, personne ne l'a remarqué. La porte s'entrouvre et l'avocat Krogstad apparaît. Il attend un moment. Le jeu se poursuit.

KROGSTAD

Excusez-moi, madame Helmer…

NORA, *avec un cri étouffé, se relève à demi.*

Ah ! que voulez-vous ?

KROGSTAD

Excusez-moi. La porte d'entrée était entrouverte. Quelqu'un a dû oublier de la fermer…

NORA, *se relevant.*

Mon mari n'est pas à la maison, monsieur Krogstad.

KROGSTAD

Je sais.

NORA

Alors… que voulez-vous ?

KROGSTAD

Vous dire un mot.

NORA

À moi… *(Aux enfants, bas.)* Allez voir Anne-Marie. Quoi ? Non, le monsieur étranger ne veut pas faire de mal à maman. Quand il sera parti, nous recommencerons à jouer. *(Elle introduit les enfants dans la pièce de gauche et referme la porte sur eux. Agitée, tendue.)* Vous voulez me parler ?

KROGSTAD

Oui, c'est ça.

NORA

Aujourd'hui ?… Mais nous ne sommes pas encore le premier du mois, que je sache ?

KROGSTAD

Non, nous sommes à la veille de Noël. Il va dépendre de vous que Noël vous donne de la joie ou du chagrin.

NORA

Que me voulez-vous ? Je ne peux absolument pas, aujourd'hui…

KROGSTAD

De cela, nous ne parlerons pas jusqu'à nouvel ordre. Il s'agit d'autre chose. Vous avez tout de même bien un moment ?

NORA

Oh oui ! Sûrement, bien que…

KROGSTAD

Bien, j'étais au restaurant Olsen lorsque j'ai vu votre mari passer dans la rue.

NORA

En effet.

KROGSTAD

… avec une dame.

NORA

Eh bien ?

KROGSTAD

Puis-je prendre la liberté de vous poser une question : est-ce que cette dame n'était pas Mme Linde ?

NORA

Si.

KROGSTAD

Tout juste arrivée en ville ?

NORA

Oui, aujourd'hui même.

KROGSTAD

C'est une bonne amie à vous, n'est-ce pas ?

NORA

Oui. Mais je ne saisis pas…

KROGSTAD

Moi aussi, je l'ai connue, autrefois.

NORA

Je sais.

KROGSTAD

Ah bon ? Vous êtes au courant. C'est bien ce que je pensais. Bon, alors, puis-je vous demander tout net : est-ce que Mme Linde va avoir un emploi à la banque ?

NORA

Comment pouvez-vous vous permettre de m'interroger, moi, monsieur Krogstad, vous qui êtes un des subordonnés de mon mari ? Mais puisque vous tenez à le savoir : oui, Mme Linde aura un emploi. Et c'est moi qui ai plaidé sa cause, monsieur Krogstad. Ainsi, vous savez tout.

KROGSTAD

Alors, j'avais bien compris.

NORA, *arpentant la pièce.*

Oh ! tout de même, on a bien un peu d'influence, dirai-je. On a beau être une femme, il n'est pas dit qu'à cause de ça… Quand on est dans une position subalterne, monsieur Krogstad, on devrait réellement se garder de froisser quelqu'un qui… hum…

KROGSTAD

… qui a de l'influence ?

NORA

Oui, précisément.

KROGSTAD, *changeant de ton.*

Madame Helmer, auriez-vous la bonté d'user de votre influence en ma faveur ?

NORA

Comment cela ? Que voulez-vous dire ?

KROGSTAD

Voudriez-vous être assez bonne pour veiller à ce que je conserve ma position de subordonné à la banque ?

NORA

Je ne comprends pas. Qui pense à vous enlever votre situation ?

KROGSTAD

Oh ! ce n'est pas la peine de jouer les ignorantes avec moi. Je comprends bien qu'il ne soit pas agréable à votre amie d'entrer en conflit avec moi ; et je comprends aussi maintenant qui je dois remercier si je suis mis à la porte.

NORA

Mais je vous assure…

KROGSTAD

Oui, oui, oui. Bref, il est encore temps et je vous conseille d'user de votre influence pour empêcher cela.

NORA

Mais, monsieur Krogstad, je n'ai absolument aucune influence.

KROGSTAD

Vraiment ? Il me semblait que vous disiez tout à l'heure…

NORA

Ce n'était évidemment pas ce que je voulais dire. Moi ! Comment pouvez-vous croire que j'aie un pareil pouvoir sur mon mari ?

KROGSTAD

Oh ! je connais votre mari depuis le temps où nous étions étudiants ensemble. Je ne pense pas que M. le directeur de la banque soit plus ferme que les autres époux.

NORA

Si vous parlez avec mépris de mon mari, je vous mets à la porte.

KROGSTAD

Madame est courageuse.

NORA

Je n'ai plus peur de vous. Quand le Nouvel An sera passé, je serai bientôt débarrassée de tout cela.

KROGSTAD, *faisant des efforts pour se contenir.*

Écoutez-moi bien, madame. Si cela devient nécessaire, je combattrai pour conserver mon petit poste à la banque comme s'il y allait de ma vie.

NORA

Oui, cela m'en a tout l'air.

KROGSTAD

Ce n'est pas seulement une question de revenus ; c'est même la chose qui m'importe le moins. Mais il y a autre chose… Eh bien, oui, disons-le ! Bien entendu, vous savez, comme tout le monde, qu'il y a pas mal d'années, je me suis rendu coupable d'une imprudence.

NORA

Je crois avoir entendu parler de quelque chose de ce genre.

KROGSTAD

L'affaire n'est pas passée en justice. Mais toutes les portes se sont aussitôt fermées devant moi. Je débutais alors dans les affaires que vous savez. Il fallait bien entreprendre quelque chose, et j'ose dire que je n'ai pas été parmi les pires. Mais à présent, je veux m'en sortir. Mes fils grandissent. À cause d'eux, il faut que je veille à recouvrer autant de considération que possible. Ce poste à la banque était comme une première marche pour moi. Et voilà que votre mari veut m'en faire descendre, si bien que je vais me retrouver en bas, dans la boue.

NORA

Mais pour l'amour du Ciel, monsieur Krogstad, il n'est absolument pas en mon pouvoir de vous aider.

KROGSTAD

C'est parce que vous n'en avez pas la volonté. Mais j'ai les moyens de vous contraindre.

NORA

Vous ne voulez tout de même pas raconter à mon mari que je vous dois de l'argent ?

KROGSTAD

Hum ! Et pourquoi pas ?

NORA

Ce serait une honte de votre part que d'agir ainsi. *(Avec des larmes dans la voix.)* Ce secret qui est ma joie et ma fierté, il l'apprendrait d'une façon si laide et si grossière… il l'apprendrait de vous. Vous voulez m'exposer aux plus terribles ennuis…

KROGSTAD

Rien que des ennuis ?

NORA, *violemment.*

Mais faites-le, après tout. C'est vous qui en pâtirez le plus. Car alors, mon mari verra quel homme sans foi ni loi vous êtes, et vous ne pourrez absolument pas garder ce poste.

KROGSTAD

Je demandais si ce n'était que d'ennuis domestiques que vous aviez peur.

NORA

Si mon mari vient à le savoir, il paiera aussitôt ce qui reste, bien entendu. Et alors, nous n'aurons plus rien à faire avec vous.

KROGSTAD, *un pas plus près.*

Écoutez, madame Helmer… Ou bien vous n'avez pas grande mémoire, ou bien vous ne vous entendez guère aux affaires. Il faut que je vous mette un peu mieux au courant.

NORA

Comment cela ?

KROGSTAD

Lorsque votre mari était malade, vous êtes venue me trouver pour emprunter douze cents rixdales.

NORA

Je ne voyais personne d'autre.

KROGSTAD

J'ai promis alors de vous remettre cette somme…

NORA

Et vous me l'avez remise.

KROGSTAD

J'ai promis de vous remettre cette somme sous certaines conditions. Vous étiez tellement préoccupée alors par la maladie de votre mari, et tellement pressée d'avoir l'argent du voyage que vous n'avez pas prêté attention, il me semble, à tous les détails secondaires. Aussi n'est-il pas superflu de vous les rappeler. Bien. J'ai promis de vous fournir l'argent contre un reçu que j'ai rédigé.

NORA

Oui, et que j'ai signé.

KROGSTAD

Bien. Mais au bas du document, j'ai ajouté

quelques lignes où votre père devait se porter garant du paiement. Ces lignes, votre père devait les signer.

NORA

Devait ?… Mais il a signé.

KROGSTAD

J'avais laissé la chose en blanc. Cela veut dire que votre père devait lui-même indiquer la date de la signature. Vous souvenez-vous de cela ?

NORA

Oui, je crois bien…

KROGSTAD

Je vous ai remis ensuite le billet parce que vous deviez l'envoyer par la poste à votre père. C'est bien ça ?

NORA

Oui !

KROGSTAD

Et naturellement, c'est ce que vous avez fait. Car cinq ou six jours après, vous me rapportiez le billet avec la signature de votre père. Alors, la somme vous a été versée.

NORA

Oui, mais n'ai-je pas remboursé comme il fallait ?

KROGSTAD

Si, à peu près. Mais... pour revenir à ce dont nous parlions... ce devait être une époque difficile pour vous, madame ?

NORA

Oui, en effet.

KROGSTAD

Votre père était très malade, je crois.

NORA

Il était à la dernière extrémité.

KROGSTAD

Il a dû mourir très peu de temps après ?

NORA

Oui.

KROGSTAD

Dites-moi, madame Helmer, est-ce que, par hasard, vous vous rappelez le jour de la mort de votre père ? La date exacte, je veux dire.

NORA

Papa est mort le 29 septembre.

KROGSTAD

Tout à fait exact, je m'en suis informé. Et voilà

pourquoi il y a une bizarrerie... *(sortant le papier)*... que je ne parviens pas à m'expliquer.

NORA

Quelle bizarrerie ? Je ne vois pas...

KROGSTAD

La bizarrerie, madame, c'est que votre père a signé ce billet trois jours après sa mort.

NORA

Comment cela ? Je ne comprends pas...

KROGSTAD

Votre père est mort le 29 septembre. Mais voyez : ici, votre père a daté sa signature du 2 octobre. N'est-ce pas bizarre, madame ? *(Nora se tait.)* Pouvez-vous m'expliquer cela ? *(Nora se tait de plus belle.)* Il est évident aussi que les mots « 2 octobre » et l'année ne sont pas écrits de la main de votre père, mais d'une main que, me semble-t-il, je crois reconnaître. Bon, cela peut s'expliquer, n'est-ce pas ? Votre père peut avoir oublié de dater sa signature et ensuite, une personne ou une autre a fait cela au hasard, ici, avant qu'on sache le décès. Il n'y a pas de mal à cela. Mais c'est de la signature elle-même qu'il s'agit. Et elle, elle est authentique, n'est-ce pas, madame Helmer ? C'est bien votre père qui a signé ici ?

NORA, *après un bref silence,*
redresse la tête et le regarde avec défi.

Non, ce n'est pas lui. C'est moi qui ai écrit le nom de papa.

KROGSTAD

Écoutez, madame… vous devez savoir que voilà un aveu dangereux.

NORA

Pourquoi ça ? Vous allez bientôt avoir votre argent.

KROGSTAD

Puis-je vous poser une question… Pourquoi n'avez-vous pas envoyé ce papier à votre père ?

NORA

C'était impossible. Papa était malade, n'est-ce pas ? Si j'avais dû lui demander sa signature, il aurait fallu aussi que je lui dise à quoi cet argent était destiné. Mais je ne pouvais tout de même pas lui dire, malade comme il était, que la vie de mon mari était en danger. C'était impossible. N'est-ce pas ?

KROGSTAD

Alors, il aurait mieux valu pour vous renoncer à ce voyage.

NORA

Non, c'était impossible. Ce voyage devait sauver la vie de mon mari. Je ne pouvais pas y renoncer.

KROGSTAD

Mais vous ne vous êtes pas dit que c'était une escroquerie à mon égard ?

NORA

Avais-je à tenir compte de cela ? Je me souciais bien de vous ! Je ne pouvais pas vous souffrir, vous me mettiez dans d'atroces difficultés alors que vous saviez dans quel état dangereux se trouvait mon mari.

KROGSTAD

Madame Helmer, vous n'avez manifestement aucune idée précise de ce dont vous vous êtes rendue coupable. Mais je peux vous dire que ce n'était ni mieux ni pis que ce que j'ai fait un jour et qui a causé la perte de ma situation sociale.

NORA

Vous ? Voulez-vous me faire croire que vous auriez entrepris quelque chose de courageux pour sauver la vie de votre femme ?

KROGSTAD

Les lois ne tiennent pas compte des mobiles.

NORA

Alors, il faut que ce soient de bien mauvaises lois.

KROGSTAD

Mauvaise ou pas... si je produis ce papier en justice, vous serez jugée selon les lois.

NORA

Je n'en crois absolument rien. Une fille n'aurait pas le droit d'épargner à son vieux père mourant des inquiétudes et des angoisses ? Une femme n'aurait pas le droit de sauver la vie de son mari ? Moi, je ne connais pas tellement bien les lois, mais je suis certaine qu'il doit y être dit quelque part que de telles choses sont permises. Et vous n'êtes pas au courant de ça, vous qui êtes avocat ? Il faut que vous soyez un bien mauvais juriste, monsieur Krogstad.

KROGSTAD

C'est possible. Mais les affaires — des affaires comme celles que nous traitons, vous et moi —, vous devez bien admettre, tout de même, que je m'y entends ? Bien. Faites maintenant comme il vous plaira. Mais je vous dis ceci : si je suis mis dehors pour la deuxième fois, vous me tiendrez compagnie.

Il salue et sort.

NORA, *un moment pensive, redresse la tête.*

Oh quoi !... Il voulait me faire peur ! Je ne suis pas si naïve que ça. *(Elle entreprend de rassembler les affaires des enfants ; elle s'arrête bientôt.)* Mais... ? Non, c'est impossible, voyons ! C'est quand même par amour que je l'ai fait.

LES ENFANTS, *à la porte de gauche.*

Maman, le monsieur vient de sortir.

NORA

Mais oui, je le sais. Mais ne parlez à personne de ce monsieur. Vous entendez ? Pas même à papa.

LES ENFANTS

Non, maman. Tu viens jouer ?

NORA

Non, non, pas maintenant.

LES ENFANTS

Mais, maman, tu avais promis !

NORA

Oui, mais je ne peux pas maintenant. Allez-vous-en. J'ai beaucoup à faire. Allez, allez, mes chéris. *(Elle les force doucement à rentrer et ferme la porte derrière eux. Elle s'assoit sur le sofa, prend une broderie et fait quelques points mais s'arrête bientôt.)*

Non ! *(Elle jette la broderie, se lève, va au vestibule et appelle.)* Hélène ! laisse-moi entrer ! *(Elle va à la table de gauche, ouvre le tiroir et s'arrête de nouveau.)* Non, c'est absolument impossible !

LA BONNE, *apportant le sapin.*

Où dois-je le poser, Madame ?

NORA

Là, au milieu de la pièce…

LA BONNE

Faut-il aller chercher autre chose ?

NORA

Non, merci. J'ai ce qu'il me faut.

La Bonne, qui s'est débarrassée de l'arbre, sort.

NORA, *tout en décorant l'arbre de Noël.*

Ici, il faut des bougies… et là, des fleurs… L'horrible bonhomme ! Bêtises, bêtises, bêtises ! Tout ça n'a aucun sens. L'arbre de Noël sera magnifique. Je ferai tout ce qu'il te plaira, Torvald, je chanterai pour toi, je danserai pour toi…

Helmer, un paquet de papiers sous le bras, entre, venant du dehors.

Ah ! Te voilà déjà ?

HELMER

Oui. Quelqu'un est venu ?

NORA

Ici ? Non.

HELMER

C'est curieux. J'ai vu Krogstad franchir le portail.

NORA

Ah ! Oh oui, c'est vrai, Krogstad est passé ici un instant.

HELMER

Nora, je crois le deviner à ton air, il t'a priée de parler en sa faveur.

NORA

Oui.

HELMER

Et tu devais faire comme si cela venait de toi ? Tu devais me cacher qu'il était venu ? Est-ce que c'est bien ça qu'il a demandé ?

NORA

Oui, Torvald, mais…

HELMER

Nora, Nora, et tu as pu te laisser faire ? Avoir un

entretien avec un homme pareil et lui faire une promesse ! Et par-dessus le marché, me dire un mensonge ?

NORA

Un mensonge ?

HELMER

N'as-tu pas dit que personne n'était venu ? *(La menaçant du doigt.)* Mon petit oiseau chanteur ne doit plus jamais faire cela. Un oiseau chanteur doit avoir le bec pur pour gazouiller juste, jamais de fausses notes. *(La prenant par la taille.)* Ce n'est pas ainsi que ça doit être ? Si, je le savais bien. *(Il la lâche.)* Et puis, n'en parlons plus. *(Il s'assoit devant le poêle.)* Ah ! comme il fait doux, comme c'est paisible ici.

Il feuillette un peu ses papiers.

NORA, *s'affairant à l'arbre de Noël après un court arrêt.*

Torvald !

HELMER

Oui.

NORA

Je suis tellement contente d'aller au bal costumé des Stenborg après-demain.

HELMER

Et moi, je suis excessivement curieux de voir la surprise que tu nous prépares.

NORA

Ah ! c'est stupide !

HELMER

Quoi donc ?

NORA

Je n'arrive pas à trouver quelque chose de valable, tout ça est si bête, si futile.

HELMER

Tiens ! la petite Nora l'admettrait maintenant ?

NORA, *derrière le siège de Helmer, les bras sur le dossier.*

Es-tu très occupé, Torvald ?

HELMER

Oh…

NORA

Qu'est-ce que c'est que ces papiers ?

HELMER

Des affaires de banque.

NORA

Déjà ?

HELMER

J'ai décidé la direction sortante à me donner les pleins pouvoirs pour effectuer les changements nécessaires dans le personnel et dans l'organisation. Je vais m'y employer pendant la semaine de Noël. Je veux que tout soit en ordre pour le Nouvel An.

NORA

Ainsi, c'est pour ça que ce pauvre Krogstad...

HELMER

Hum !

NORA, *toujours appuyée au dossier du siège, tout en lui ébouriffant lentement les cheveux.*

Si tu n'avais pas été si occupé, je t'aurais demandé un immense service, Torvald !

HELMER

Voyons cela. Ce serait quoi ?

NORA

Tu sais bien que personne n'a aussi bon goût que toi, Torvald. Et moi, j'aimerais bien être à mon avantage au bal costumé. Torvald, tu ne pourrais pas t'en charger et décider pour moi de ce que je vais être et comment arranger mon costume ?

HELMER

Ah ! ah ! la petite capricieuse appellerait-elle au secours ?

NORA

Oui, Torvald, sans toi, je n'arriverai à rien.

HELMER

Bien, bien. Je vais y réfléchir. Nous allons bien trouver une idée.

NORA

Oh ! comme tu es gentil ! *(Elle revient à l'arbre de Noël. Pause.)* Comme ces fleurs rouges font bel effet… Mais, dis-moi, est-ce vraiment si laid, ce dont ce Krogstad s'est rendu coupable ?

HELMER

Il a fait des faux. As-tu idée de ce que ça veut dire ?

NORA

Et si c'était la misère qui l'avait poussé ?

HELMER

Ou bien l'imprudence, comme tant de gens. Je ne manque pas de cœur au point de condamner inconditionnellement un homme pour un acte de ce genre.

NORA

Non, n'est-ce pas, Torvald ?

HELMER

Plus d'un peut, moralement, se relever, s'il confesse ouvertement son crime et subit sa peine.

NORA

Sa peine ?...

HELMER

Mais ce n'est pas le chemin qu'a choisi Krogstad. Il a eu recours à des ficelles, à des artifices. Et c'est cela qui l'a, moralement, perdu.

NORA

Tu crois que...

HELMER

Imagine un peu à quel point un homme conscient de sa faute doit mentir et grimacer et dissimuler de tous côtés. Il est forcé de porter des masques, y compris pour ses proches, que dis-je, y compris pour sa propre femme et pour ses propres enfants. Et se conduire ainsi devant ses enfants, c'est précisément cela, le plus épouvantable, Nora.

NORA

Pourquoi ?

HELMER

Parce qu'une telle atmosphère de mensonge apporte la contagion et des germes malsains dans toute une vie de famille. Chaque fois que les enfants respirent, ils absorbent les germes du mal.

NORA, *se rapprochant de lui.*

Tu en es sûr ?

HELMER

Oh ! ma chérie, je l'ai souvent constaté comme avocat. Presque tous les jeunes dépravés ont eu des mères menteuses.

NORA

Pourquoi précisément... des mères ?

HELMER

Parce que cela provient le plus fréquemment des mères. Mais bien entendu, les pères agissent dans le même sens. Tout avocat sait fort bien cela. Et pourtant, pendant des années entières, ce Krogstad a empoisonné ses propres enfants par le mensonge et la dissimulation. Voilà pourquoi je le déclare moralement déchu. *(Tendant ses mains vers elle.)* Aussi ma douce petite Nora va-t-elle me promettre de ne plus défendre sa cause. Donne-moi ta parole. Eh bien ! Eh bien ! Qu'est-ce qu'il y a ? Tends-moi la main. Voilà. Ainsi, c'est décidé. Je t'assure qu'il me serait impossible de travailler avec lui. Je ressens littéralement un malaise physique à côtoyer de tels individus.

NORA, *reprenant sa main et passant de l'autre côté de l'arbre de Noël.*

Comme il fait chaud ici. Et j'ai tant à faire.

HELMER *se lève et rassemble ses papiers.*

Oui, moi aussi, il faut que je me penche un peu sur tout ça avant de passer à table. Je vais penser à ton costume aussi. Et peut-être que j'ai un petit quelque chose dans du papier doré à accrocher à l'arbre de Noël. *(Lui posant la main sur la tête.)* Oh ! mon bien-aimé petit oiseau chanteur.

Il entre dans son cabinet et referme la porte derrière lui.

NORA, *bas, après un moment de silence.*

Oh quoi ! Mais non, c'est impossible ! Il faut que ce soit impossible.

LA BONNE D'ENFANTS, *à la porte de gauche.*

Les petits veulent voir leur maman.

NORA

Non, non, non. Ne les laisse pas venir ! Reste avec eux, Anne-Marie.

LA BONNE D'ENFANTS

Bien, bien, Madame.

Elle ferme la porte.

NORA, *pâle de peur.*

Corrompre mes petits enfants !… Empoisonner la maison… *(Court arrêt, elle relève la tête.)* Ce n'est pas vrai. Jamais de la vie, ce n'est pas vrai.

DEUXIÈME ACTE

Même salon. Dans le coin, près du piano, l'arbre de Noël, dépouillé, ébouriffé, des morceaux de bougies complètement consumés. Le manteau de Nora est sur le sofa.

NORA, *seule dans le salon, déambule, inquiète. Finalement, elle s'arrête près du sofa et prend son manteau.*

NORA, *lâchant son manteau.*

Voilà quelqu'un ! *(Elle va vers la porte et écoute.)* Non, il n'y a personne. Naturellement… il ne viendra personne aujourd'hui, c'est Noël… et demain non plus… Mais peut-être… *(Elle ouvre la porte et regarde dehors.)* Non, rien dans la boîte aux lettres. Parfaitement vide. *(Elle revient dans la pièce.)* Oh ! bêtises ! Il ne parlait pas sérieusement, bien entendu. Une chose pareille ne peut pas arriver. C'est impossible. J'ai trois petits enfants, tout de même.

LA BONNE D'ENFANTS, *portant un gros carton, arrive de la pièce de gauche.*

LA BONNE D'ENFANTS

J'ai fini par trouver le carton avec le déguisement.

NORA

Merci. Pose-le sur la table.

LA BONNE D'ENFANTS, *s'excusant.*

Mais le costume n'est sans doute pas en état.

NORA

Oh ! si seulement je pouvais le mettre en mille morceaux !

LA BONNE D'ENFANTS

Mon Dieu ! non ! on peut le remettre en état. Un peu de patience seulement.

NORA

Oui, je vais aller chercher Mme Linde pour qu'elle m'aide.

LA BONNE D'ENFANTS

Sortir, de nouveau, maintenant ! Avec cet affreux temps ! Madame Nora va prendre froid… tomber malade.

NORA

Oh ! ce ne serait pas le pire. Et les enfants, comment vont-ils ?

LA BONNE D'ENFANTS

Les pauvres petits jouent avec leurs cadeaux de Noël, mais…

NORA

Est-ce qu'ils me demandent souvent ?

LA BONNE D'ENFANTS

C'est qu'ils ont tellement l'habitude d'avoir leur maman avec eux.

NORA

Oui, Anne-Marie, mais désormais, je ne pourrai plus être avec eux aussi souvent qu'avant.

LA BONNE D'ENFANTS

Bon, les enfants s'habituent à tout.

NORA

Tu crois ? Ils oublieraient leur maman si elle s'en allait pour toujours ?

LA BONNE D'ENFANTS

Grands dieux ! Pour toujours ?

NORA

Écoute, dis-moi, Anne-Marie... Je me suis souvent demandé... Comment as-tu eu le cœur de confier ton enfant à des étrangers ?

LA BONNE D'ENFANTS

Mais il a bien fallu quand j'ai dû être la nourrice de la petite Nora.

NORA

Oui, mais comment as-tu pu le vouloir ?

LA BONNE D'ENFANTS

Alors que je pouvais trouver une si bonne place ? Une pauvre fille à qui il est arrivé malheur, elle doit s'en réjouir. Parce que ce sale bonhomme ne faisait rien pour moi, n'est-ce pas ?

NORA

Mais ta fille, alors, elle t'a sûrement oubliée ?

LA BONNE D'ENFANTS

Oh non ! sûrement pas. Elle m'a écrit pour sa confirmation, et aussi quand elle s'est mariée.

NORA, *lui passant les bras autour du cou.*

Ma vieille Anne-Marie, tu as été une bonne mère pour moi quand j'étais petite.

LA BONNE D'ENFANTS

Petite Nora, la pauvre, n'avait pas d'autre mère que moi, n'est-ce pas ?

NORA

Et si les petits n'en avaient pas non plus, je sais bien que tu serais... Bêtises, bêtises, bêtises. *(Ouvrant le carton.)* Va les voir. Maintenant, il faut que je... Demain, tu verras comme je serai ravissante.

LA BONNE D'ENFANTS

Oui, dans tout le bal, il n'y aura certainement personne d'aussi ravissant que Madame Nora.

Elle entre dans la pièce de gauche.

NORA *se met à déballer le contenu du carton mais repousse bientôt le tout.*

Oh ! si j'osais sortir. Si seulement personne ne venait. Si seulement rien n'arrivait ici pendant ce temps. Quelles bêtises ! Il ne viendra personne. Ne pensons pas. Brossons ce manchon. Des gants ravissants, des gants ravissants. Chassons ces idées ! Un, deux, trois, quatre, cinq, six... *(Elle pousse un cri.)* Ah ! les voilà...

Elle veut aller vers la porte, mais reste indécise.

MME LINDE *arrive du vestibule où elle a enlevé son manteau.*

Oh ! c'est toi, Kristine ! Il n'y a personne d'autre, hein ? Comme c'est gentil d'être venue.

MADAME LINDE

J'ai appris que tu étais venue me demander.

NORA

Oui, je passais. Il faut que tu m'aides. Asseyons-nous sur le sofa. Regarde. Il doit y avoir un bal costumé demain soir à l'étage au-dessus, chez le consul Stenborg, et Torvald veut que je sois costumée en fille de pêcheur napolitain, et que je danse la tarentelle, parce que je l'ai apprise à Capri.

MADAME LINDE

Tiens, tiens ! Tu vas donner toute une représentation ?

NORA

Oui, Torvald dit que je dois le faire. Regarde, voilà le costume. C'est Torvald qui me l'a fait faire là-bas. Mais maintenant, tout ça est tellement déchiré, et je ne sais vraiment pas...

MADAME LINDE

Oh ! nous aurons vite fait de remettre ça en état. C'est seulement la garniture qui s'est détachée par endroits. Une aiguille et du fil ? Bien, voici tout ce qu'il nous faut.

NORA

Oh ! comme c'est gentil de ta part !

MADAME LINDE, *cousant.*

Ainsi, tu vas te déguiser demain, Nora ? Sais-tu... Je viendrai te voir un instant. Mais voyons, j'ai tout simplement oublié de te remercier pour la bonne soirée d'hier.

NORA *se lève et traverse la pièce.*

Oh ! hier, il me semble que rien n'était aussi agréable que d'habitude... Tu aurais dû venir un peu plus tôt en ville, Kristine... Oui, Torvald s'entend très bien à rendre la maison belle et agréable.

MADAME LINDE

Et toi aussi, il me semble... Ce n'est sans doute pas pour rien que tu es la fille de ton père. Mais, dis-moi, est-ce que le docteur Rank est toujours aussi déprimé qu'il l'était hier ?

NORA

Non, hier, c'était particulièrement prononcé. Il est atteint d'une maladie très grave. Il a une tuberculose de la moelle épinière, le pauvre. Je te dirai que son père était un individu dégoûtant qui avait des maîtresses, et bien d'autres choses encore. Et voilà pourquoi son fils a été maladif dès son enfance, comprends-tu ?

MADAME LINDE, *qui laisse tomber son ouvrage.*

Mais, ma bien chère Nora, comment peux-tu savoir des choses pareilles ?

NORA, *se promenant.*

Pfff !... quand on a trois enfants, on reçoit de temps en temps la visite de... de dames qui s'y connaissent un peu en médecine. Et, n'est-ce pas, elles vous racontent une chose ou une autre.

MADAME LINDE *se remet à coudre ; court silence.*

Et le docteur Rank vient ici tous les jours ?

NORA

Tous les jours que Dieu fait. C'est l'ami d'enfance de Torvald, et c'est un bon ami à moi aussi. Pour ainsi dire, le docteur Rank fait partie de la maison.

MADAME LINDE

Mais dis-moi : est-ce que cet homme est tout à fait sincère ? Je veux dire : lui arrive-t-il de faire des compliments ?

NORA

Non, pas du tout. Comment cette idée t'est-elle venue ?

MADAME LINDE

Hier, quand tu m'as présentée, il a assuré qu'il

avait souvent entendu mon nom, ici dans la maison. Mais ensuite, j'ai remarqué que ton mari n'avait pas la moindre idée de qui j'étais. Alors, comment le docteur Rank pouvait-il… ?

NORA

Oui, c'est tout à fait exact, Kristine. Torvald m'aime si démesurément qu'il veut me « posséder » tout seul, comme il dit. Au début, il lui suffisait de m'entendre nommer une personne qui m'avait été si chère jadis pour être jaloux. Alors, naturellement, j'ai cessé. Mais avec le docteur Rank, j'en parle fréquemment, parce qu'il aime bien m'écouter, vois-tu.

MADAME LINDE

Nora, écoute… À bien des égards, tu es encore une enfant. Je suis sensiblement plus âgée que toi, comme tu sais, et j'ai un peu plus d'expérience. Je voudrais te dire quelque chose : tu devrais veiller à mettre un terme à tout cela avec le docteur Rank.

NORA

Mettre un terme à quoi ?

MADAME LINDE

À bien des choses. Hier, tu m'as parlé d'un riche admirateur qui pourrait te fournir de l'argent…

NORA

Oui, un homme qui n'existe pas, malheureusement. Et alors ?

MADAME LINDE

Le docteur Rank a-t-il du bien ?

NORA

Oui, il en a.

MADAME LINDE

Et pas de famille ?

NORA

Non, personne. Mais… ?

MADAME LINDE

Et il vient chaque jour ici, à la maison ?

NORA

Oui, tu le sais bien.

MADAME LINDE

Mais où veut-il en venir, ce beau monsieur ?

NORA

Je ne te comprends absolument pas.

MADAME LINDE

Ne dissimule pas, Nora. Crois-tu que je n'aie

pas deviné à qui tu as emprunté les douze cents rixdales ?

NORA

As-tu perdu la tête ? Comment peux-tu imaginer une chose pareille ? Un ami à nous, qui vient ici tous les jours ! Quelle situation pénible et terrible ce serait !

MADAME LINDE

Alors, ce n'est vraiment pas lui ?

NORA

Non, je t'assure. Pas un instant, cela ne m'est venu à l'idée… Et de toute façon, à ce moment-là, il n'avait pas d'argent à prêter, ce n'est qu'après qu'il a hérité.

MADAME LINDE

Bon, je crois que ç'a été une chance pour toi, ma chère Nora.

NORA

Non, il ne me serait jamais venu à l'idée de demander au docteur Rank. Du reste, je suis absolument certaine que si je lui demandais…

MADAME LINDE

Mais, bien entendu, tu ne le feras pas.

NORA

Non, bien entendu. Je ne crois pas que cela devienne nécessaire. Mais je suis tout à fait sûre que si je parlais au docteur Rank…

MADAME LINDE

À l'insu de ton mari ?

NORA

Il faut que je me sorte de toute cette histoire. Elle aussi s'est faite à son insu. Il faut que je m'en sorte.

MADAME LINDE

Oui, oui, c'est bien aussi ce que je te disais hier. Mais…

NORA, *faisant les cent pas.*

Un homme peut beaucoup mieux se tirer de ce genre d'affaires qu'une femme.

MADAME LINDE

Si tu parles du mari, oui.

NORA

Bavardages ! *(Elle s'arrête.)* Quand on paie tout ce qu'on doit, on vous rend votre reçu, n'est-ce pas ?

MADAME LINDE

Oui, cela va de soi.

NORA

Et on peut le déchirer en cent mille morceaux et le brûler… ce sale papier dégoûtant !

MADAME LINDE *la regarde fixement, pose son ouvrage et se lève lentement.*

Nora, tu me caches quelque chose.

NORA

Tu peux voir ça à ma figure ?

MADAME LINDE

Il t'est arrivé quelque chose depuis hier matin, Nora ! Qu'est-ce qu'il y a ?

NORA, *allant vers elle.*

Kristine… *(Écoutant.)* Chut ! Torvald vient de rentrer. Voyons… Va t'installer chez les enfants en attendant. Torvald ne supporte pas de me voir coudre. Dis à Anne-Marie de t'aider.

MADAME LINDE,
rassemblant une partie des affaires.

Oui, oui, mais je ne partirai pas d'ici tant que nous n'aurons pas parlé sincèrement.

Mme Linde entre sur la gauche ; en même temps, HELMER *arrive du vestibule.*

NORA, *allant au-devant de lui.*

Oh ! comme je t'ai attendu, Torvald chéri.

HELMER

Était-ce la couturière... ?

NORA

Non, c'était Kristine, elle m'aide à remettre en état mon costume. Tu vas voir l'effet que je vais faire.

HELMER

Eh bien ! ce n'était pas une bonne idée que j'ai eue là ?

NORA

Superbe ! Mais est-ce que je ne suis pas gentille aussi de t'avoir fait plaisir ?

HELMER, *la prenant sous le menton.*

Gentille... parce que tu fais plaisir à ton mari ? Bon, bon, petite folle, je sais bien que ce n'est pas ce que tu voulais dire. Mais je ne veux pas te déranger. Il faut que tu fasses des essayages, sans doute.

NORA

Et il faut que tu travailles, sans doute ?

HELMER

Eh oui ! *(Montrant une liasse de papiers.)* Vois. Je suis allé à la banque...

Il veut entrer dans son cabinet.

NORA

Torvald !

HELMER, *s'arrêtant.*

Oui.

NORA

Si ton petit écureuil te demandait instamment une chose... ?

HELMER

Quoi donc ?

NORA

Le ferais-tu ?

HELMER

D'abord, évidemment, il faut savoir ce que c'est.

NORA

L'écureuil courrait partout et ferait des espiègleries si tu voulais être gentil et docile.

HELMER

Allons, dis-le donc.

NORA

L'alouette gazouillerait par toutes les pièces, sur tous les tons...

HELMER

Oh ça, c'est tout de même ce que fait l'alouette, non ?

NORA

Je ferais l'elfe et je danserais pour toi au clair de lune, Torvald.

HELMER

Nora… ce n'est tout de même pas ce que tu laissais entendre ce matin ?

NORA, *plus près.*

Si, Torvald, je t'en prie, je t'en supplie !

HELMER

Et tu as vraiment le toupet de revenir sur cette affaire ?

NORA

Oui, oui, il faut que tu me fasses plaisir. Il faut que tu laisses Krogstad garder son poste à la banque.

HELMER

Ma chère Nora, je destine son poste à Mme Linde.

NORA

Oui, c'est certainement gentil de ta part. Mais

tu n'as qu'à renvoyer un autre employé au lieu de Krogstad.

HELMER

Quel incroyable entêtement ! Alors, parce que tu as fait la promesse irréfléchie d'intercéder pour lui, je devrais, moi…

NORA

Ce n'est pas pour ça, Torvald. C'est pour toi. Cet individu écrit dans les plus méchants journaux, n'est-ce pas ? Tu l'as dit toi-même. Il peut te faire tant de mal. J'ai tellement peur de lui…

HELMER

Ah ! ah ! je comprends. Ce sont les vieux souvenirs qui t'effraient.

NORA

Que veux-tu dire ?

HELMER

Bien entendu, tu penses à ton père.

NORA

Oui, bien sûr. Rappelle-toi seulement tout ce que de vilaines gens ont écrit dans les journaux sur le compte de papa et les méchantes calomnies qu'ils ont faites. Je crois qu'ils l'auraient fait renvoyer si le ministère ne t'avait pas envoyé là-bas pour enquêter et si tu n'avais pas été si bienveillant, si secourable pour lui.

HELMER

Ma petite Nora, il y a une grande différence entre ton père et moi. Ton père n'était pas un fonctionnaire inattaquable. Mais moi, si. Et j'espère que je le resterai tant que j'occuperai ce poste.

NORA

Oh ! qui sait ce que les méchantes langues peuvent inventer ! Nous pourrions être si bien, si tranquilles et si heureux ici dans notre paisible foyer sans soucis... toi et moi et les enfants, Torvald ! C'est pour cela que je te prie si instamment...

HELMER

Et c'est précisément en intercédant pour lui que tu me mets dans l'impossibilité de le garder. À la banque, on sait déjà que je veux renvoyer Krogstad. Si le bruit courait maintenant que le nouveau directeur de la banque se laisse aller à changer d'avis à cause de sa femme...

NORA

Oui. Eh bien ?...

HELMER

Non, peu importe, naturellement, pourvu que la petite entêtée ait fait à son gré... Et tu crois que je me rendrais ridicule aux yeux de tout le personnel… cela amènerait les gens à penser que je dépends de toutes sortes d'influences étrangères. Oui, tu penses bien que les conséquences ne tarderaient pas. Et de plus… il y a un détail qui rend impossible la présence de Krogstad à la banque aussi longtemps que je resterai directeur.

NORA

Qu'est-ce que c'est ?

HELMER

Au besoin, j'aurais peut-être pu passer sur sa tare morale.

NORA

Oui, n'est-ce pas, Torvald ?

HELMER

D'autant qu'on me dit que c'est un bon employé. Mais c'est une de mes connaissances de jeunesse. Une de ces connaissances trop rapides dont, tant de fois ensuite dans la vie, on est gêné. Oui, autant le dire carrément : nous nous tutoyons. Et cet individu dépourvu de tact ne cache absolument pas cet état de fait quand d'autres personnes sont présentes. Au contraire… Il se croit même autorisé à prendre un ton familier avec moi. Et alors, à chaque instant, ce sont des : « tu », « toi », « Helmer ». Je t'assure que cela m'est extrêmement pénible. Il rendrait ma position à la banque intolérable.

NORA

Torvald, tu ne penses pas un mot de ce que tu dis là.

HELMER

Vraiment ? Et pourquoi pas ?

NORA

Parce que tout ça, c'est bien mesquin comme motif.

HELMER

Qu'est-ce que tu dis ? Mesquin ? Est-ce que tu me trouves mesquin ?

NORA

Mais non, au contraire, cher Torvald. Et c'est précisément pour ça que…

HELMER

Tant pis. Tu trouves mesquins mes motifs, donc, il faut sans doute que je le sois aussi. Mesquin ! Vraiment ! Eh bien ! Il faut en finir. *(Il va vers la porte du vestibule et appelle.)* Hélène !

NORA

Que vas-tu faire ?

HELMER, *cherchant dans ses papiers.*

Prendre une décision.

LA BONNE *entre.*

Tenez. Prenez cette lettre. Descendez tout de suite. Trouvez un commissionnaire et qu'il la porte. L'adresse est dessus. Tenez, voilà de l'argent.

LA BONNE

Bien, Monsieur.

Elle sort avec la lettre.

HELMER, *rassemblant ses papiers.*

Voilà, ma petite femme entêtée.

NORA, *interdite.*

Torvald… qu'est-ce que c'est, cette lettre ?

HELMER

Le renvoi de Krogstad.

NORA

Reprends-la, Torvald ! Il est encore temps. Oh ! Torvald, reprends-la, fais cela pour l'amour de moi… pour l'amour de toi. Pour l'amour des enfants. Entends-tu, Torvald, fais-le ! Tu ne sais pas ce que ça peut nous amener à tous.

HELMER

Trop tard.

NORA

Oui, trop tard.

HELMER

Chère Nora, je te pardonne cette anxiété, bien qu'au fond ce soit une offense contre moi. Si ! c'en est une ; n'est-ce pas une offense que de croire que je devrais, moi, avoir peur de la vengeance d'un avocassier corrompu ? Mais je te le pardonne tout de même parce que cela témoigne de ton amour pour moi. *(Il la prend dans ses bras.)* Il le faut, ma Nora bien-aimée à moi. Advienne que pourra. Quand il le faut vraiment, tu peux me croire, j'ai du courage et des forces. Tu vas voir, je suis homme à prendre tout sur moi.

NORA, *effrayée.*

Que veux-tu dire ?

HELMER

Tout, dis-je…

NORA, *saisie.*

Ça, jamais de la vie tu ne le feras !

HELMER

Bien. Alors, nous partagerons, Nora… comme mari et femme. C'est ainsi que cela doit être. *(S'agenouillant devant elle.)* Es-tu satisfaite à présent ? Allons, allons. Ne fais plus ces yeux de colombe effarouchée. Tout ça, ce n'est que des imaginations parfaitement vides… Maintenant, tu devrais jouer la tarentelle et t'exercer au tambourin. Je vais m'installer dans le bureau et fermer la porte intermédiaire, ainsi, je n'entendrai rien, tu feras tout le vacarme que tu voudras. *(Se tournant vers la porte.)* Et quand Rank arrivera, dis-lui où je suis.

Il lui fait un signe de tête, entre avec ses papiers dans son cabinet et referme derrière lui.

NORA, *éperdue d'angoisse, hébétée, chuchote.*

Il serait capable de le faire. Il le fera, malgré tout… Non, cela, jamais de la vie ! Plutôt n'importe quoi ! De l'aide !… Une issue… *(On sonne dans l'entrée.)* Le docteur Rank… ! Plutôt n'importe quoi ! N'importe quoi !

Nora se passe la main sur le visage, se ressaisit et va ouvrir la porte du vestibule. Le docteur RANK *se trouve là, en train d'accrocher sa pelisse. Au cours de ce qui suit, le crépuscule tombe.*

Bonjour, docteur Rank. Je vous ai reconnu à votre façon de sonner. Mais n'entrez pas chez Torvald maintenant, il est occupé, je crois.

RANK

Et vous ?

NORA, *tandis qu'il entre dans le salon et qu'elle referme la porte derrière lui.*

Oh ! vous le savez bien… pour vous, j'ai toujours un peu de temps.

RANK

Merci. J'en profiterai aussi longtemps que je le pourrai.

NORA

Qu'est-ce que vous voulez dire ? Aussi longtemps que vous le pourrez ?

RANK

Oui. Cela vous effraie ?

NORA

Eh bien, c'est dit de façon si bizarre. Il doit arriver quelque chose ?

RANK

Ce que je prévois depuis longtemps. Mais je ne croyais vraiment pas que ça viendrait si vite.

NORA, *lui saisissant le bras.*

Qu'avez-vous appris ? Docteur Rank, il faut me le dire.

RANK, *s'asseyant près du poêle.*

Je suis en bas de la pente. Il n'y a rien à y faire.

NORA, *soulagée.*

C'est de vous qu'il s'agit ?

RANK

Et de qui d'autre ? Il ne sert à rien de me mentir

à moi-même. Je suis le plus misérable de tous mes patients, madame Helmer. Ces jours-ci, j'ai entrepris de faire un bilan général de mon état. Banqueroute. D'ici un mois, je serai peut-être en train de pourrir au cimetière.

NORA

Pouah ! comme c'est laid de parler ainsi !

RANK

Il faut dire aussi que l'affaire est sacrément laide. Mais le pire, c'est qu'avant il y aura tant d'autres horreurs. Il ne reste plus qu'un seul examen à faire. Après, je saurai à peu près à quel moment le dénouement interviendra. Il y a une chose que je veux vous dire. Dans sa délicate nature, Helmer a une répugnance marquée pour tout ce qui est hideux. Je ne veux pas de lui à mon chevet de mourant.

NORA

Mais, docteur Rank…

RANK

Je n'en veux pas. À aucun prix. Je lui fermerai ma porte… Dès que j'aurai la pleine assurance du pire, je vous enverrai ma carte de visite avec une grande croix dessus, et alors, vous saurez que l'abomination de la désolation a commencé.

NORA

Non, aujourd'hui, vous êtes absolument hors de sens. Et moi qui aurais tellement voulu que vous soyez vraiment de bonne humeur.

RANK

Avec la mort entre les mains ?… Et tout ça pour expier la faute d'un autre. Est-ce juste, ça ? Et dire que dans chaque famille, il y a d'une façon ou d'une autre une liquidation de ce genre…

NORA, *se bouchant les oreilles.*

Bavardages ! Soyons joyeux, joyeux !

RANK

Oui, par ma foi, il n'y a rien d'autre à faire que de rire. Ma pauvre, mon innocente colonne vertébrale doit souffrir de la joyeuse vie que mena mon père, du temps qu'il était lieutenant.

NORA, *près de la table, à gauche.*

Il était trop porté sur les asperges et le pâté de foie gras, n'est-ce pas ?

RANK

Oui, et sur les truffes, aussi.

NORA

Ah oui ! les truffes. Et aussi sur les huîtres, je crois ?

RANK

Oui, les huîtres, ça va de soi.

NORA

Et encore sur tout ce porto et ce champagne. C'est affligeant que toutes ces choses délicates se reportent sur la colonne vertébrale.

RANK

Spécialement quand elles se reportent sur une malheureuse colonne vertébrale qui n'en a pas éprouvé le moindre bien.

NORA

Ah oui ! C'est bien le plus affligeant de tout.

RANK, *la regardant d'un œil inquisiteur.*

Hum…

NORA, *un instant après.*

Pourquoi souriez-vous ?

RANK

Non, c'est vous qui avez souri.

NORA

Non, c'est vous qui avez souri, docteur Rank !

RANK, *se levant.*

Vous devez être encore plus espiègle que je le pensais.

NORA

J'ai tellement envie de dire des folies aujourd'hui.

RANK

Ça m'en a tout l'air.

NORA, *lui posant les deux mains sur les épaules.*

Cher, cher docteur Rank, il ne faut pas mourir et nous quitter, Torvald et moi.

RANK

Oh ! vous vous remettrez facilement de cette perte, ma foi. Ceux qui s'en vont sont bien vite oubliés.

NORA, *le regardant, inquiète.*

Vous croyez ?

RANK

On se fait de nouvelles relations, et puis…

NORA

Qui se fait de nouvelles relations ?

RANK

C'est ce que vous ferez, vous et Helmer, quand je serai parti. Vous-même êtes déjà bien en route, il me semble. Qu'est-ce que cette Mme Linde avait à faire ici hier soir ?

NORA

Ah ! ah… vous n'êtes tout de même pas jaloux de cette pauvre Kristine ?

RANK

Si, je le suis. C'est elle qui prendra ma place, ici, dans la maison. Quand mon échéance sera arrivée, c'est peut-être cette femme…

NORA

Chut ! Ne parlez pas si fort, elle est ici.

RANK

Aujourd'hui aussi ? Vous voyez bien.

NORA

Seulement pour coudre mon costume. Seigneur Dieu, comme vous êtes déraisonnable. *(Elle s'assoit sur le sofa.)* Soyez gentil, docteur Rank. Demain, vous allez voir comme je vais danser superbement. Et alors, vous imaginerez que je le fais rien que pour vous. Oui, et aussi, naturellement, pour Torvald… cela va de soi. *(Sortant diverses affaires du carton.)* Docteur Rank, asseyez-vous ici, je vais vous montrer quelque chose.

RANK, *s'asseyant.*

Quoi donc ?

NORA

Voilà ! Regardez.

RANK

Des bas de soie.

NORA

Couleur chair. N'est-ce pas merveilleux ! Puis, il fait si sombre ici. Mais demain… Non, non, non, vous ne devez voir que la plante des pieds. Oh ! après tout, vous pouvez bien voir plus haut aussi.

RANK

Hum…

NORA

Pourquoi avez-vous l'air si critique ? Vous croyez peut-être qu'ils n'iront pas ?

RANK

Il m'est tout à fait impossible de me faire une opinion.

NORA, *le regardant un instant.*

Honte à vous. *(Lui frappant légèrement l'oreille avec les bas.)* Voilà pour vous.

Elle les rempaquette.

RANK

Et quelles sont les autres merveilles à voir ?

NORA

Vous ne verrez rien d'autre. Parce que vous êtes inconvenant.

Elle chantonne un peu en fouillant dans les affaires.

RANK, *après un bref silence.*

Quand je me trouve ici, comme ça, familièrement avec vous, je ne saisis pas… non, je ne comprends pas… ce que je serais devenu si je n'étais jamais venu ici, dans cette maison.

NORA, *souriant.*

Oui, je crois en effet qu'au fond vous vous sentez tout à fait à votre aise chez nous. •

RANK, *plus bas, regardant fixement devant lui.*

Et devoir quitter tout cela…

NORA

Bêtises, vous ne nous quitterez pas.

RANK, *comme précédemment.*

… et ne pas pouvoir laisser même un petit signe de reconnaissance… à peine un manque passager… rien d'autre qu'une place vide qui sera prise par le premier venu.

NORA

Et si je vous demandais de… ? Non…

RANK

Si vous me demandiez quoi ?

NORA

Une grande preuve de votre amitié…

RANK

Oui, eh bien ?

NORA

Non, je veux dire, un immense service…

RANK

Pour une fois, voudriez-vous vraiment me rendre si heureux ?

NORA

Oh ! mais, vous ne savez même pas de quoi il s'agit.

RANK

Bon, alors, dites-le.

NORA

Non, je ne peux pas, docteur Rank, c'est tellement énorme… à la fois un conseil, une aide et un service…

RANK

Plus c'est important, mieux c'est. Je ne parviens

pas à saisir ce que vous pouvez bien vouloir dire. Mais parlez donc. Est-ce que je n'ai pas votre confiance ?

NORA

Si, vous l'avez comme personne. Vous êtes mon plus fidèle et mon meilleur ami, je le sais assez. C'est aussi pourquoi je vais vous le dire. Bon. Eh bien, docteur Rank, il y a une chose qu'il faut que vous m'aidiez à éviter. Vous savez à quel point Torvald m'aime. Pas un instant, il n'hésiterait à donner sa vie pour moi.

RANK, *se penchant vers elle.*

Nora… Croyez-vous donc qu'il soit le seul ?…

NORA, *avec un léger sursaut.*

Le seul qui…

RANK

… qui donnerait joyeusement sa vie pour vous.

NORA, *tristement.*

Ah bon !

RANK

Je m'étais juré de vous le dire avant de partir. Je ne trouverai jamais une meilleure occasion… Oui Nora, maintenant, vous le savez. Et maintenant, par conséquent, vous savez aussi que vous pouvez vous confier à moi comme à personne.

NORA, *se levant, égale et calme.*

Laissez-moi passer.

RANK, *lui faisant place, mais restant assis.*

Nora…

NORA, *à la porte du vestibule.*

Hélène, apportez la lampe. *(Allant vers le poêle.)* Ah ! cher docteur Rank, ce n'est vraiment pas bien.

RANK, *se levant.*

De vous avoir aimée aussi profondément qu'on peut le faire ? Ce n'est vraiment pas bien ?

NORA

Non, mais de me l'avoir dit. Ce n'était absolument pas nécessaire…

RANK

Que voulez-vous dire ? Vous le saviez donc ?…

La Bonne entre avec la lampe, la pose sur la table et ressort.

Nora… madame Helmer… je vous demande si vous le saviez…

NORA

Oh ! est-ce que je sais ? Je ne peux vraiment pas vous dire… Dire que vous avez pu être aussi maladroit, docteur Rank ! Tout allait si bien.

RANK

Eh bien ! Vous avez en tout cas la certitude que je suis à votre disposition corps et âme. Parlez maintenant.

NORA, *le regardant.*

Après ce que vous venez de dire ?

RANK

Je vous en prie, dites-moi…

NORA

Ce n'est pas possible. Vous ne saurez rien maintenant.

RANK

Si, si. Vous ne devez pas me punir ainsi. Permettez-moi de faire pour vous tout ce qui est humainement possible.

NORA

Maintenant, vous ne pouvez plus rien pour moi… D'ailleurs, je n'ai besoin d'aucune aide. Vous verrez, tout ça n'est qu'imaginations. Mais oui, c'est ainsi. Naturellement. *(Elle s'assoit dans le fauteuil à bascule, le regarde, sourit.)* Oui, vous êtes vraiment un charmant monsieur, docteur Rank. Et vous n'avez pas honte, maintenant que la lampe est allumée ?

RANK

Non. Absolument pas. Mais il faut peut-être que je m'en aille… pour toujours ?

NORA

Non. Ne faites pas ça, vraiment. Vous viendrez ici comme avant, bien entendu. Vous savez bien que Torvald ne peut pas se passer de vous.

RANK

Oui, mais vous ?

NORA

Oh ! moi ? Tout est si agréable, il me semble, dès que vous arrivez.

RANK

C'est précisément cela qui m'a égaré. Vous êtes une énigme pour moi. Maintes fois, il m'a semblé que vous vous plaisiez tout autant avec moi qu'avec Helmer.

NORA

Oui, voyez-vous, c'est qu'il y a ceux que l'on aime et ceux avec qui l'on se plaît.

RANK

C'est vrai. Il y a quelque chose de vrai dans ce que vous dites.

NORA

Quand j'étais chez nous, j'aimais papa plus que tout, bien entendu. Mais je trouvais toujours tellement amusant de pouvoir pénétrer en cachette dans la chambre des bonnes. Elles, elles ne me faisaient jamais la morale. Et elles se racontaient toujours des histoires si drôles.

RANK

Ah ! Ah ! Ainsi, c'est elles que j'ai remplacées.

NORA, *se levant d'un bond et allant vers lui.*

Oh ! cher, gentil docteur Rank, ce n'est pas du tout ce que je voulais dire. Mais vous pouvez bien comprendre qu'il en va de Torvald comme de papa…

LA BONNE, *venant du vestibule.*

Madame.

Elle chuchote et lui tend une carte.

NORA *jette un coup d'œil sur la carte.*

Ah !

Elle fourre la carte dans sa poche.

RANK

Quelque chose qui ne va pas ?

NORA

Non, non, absolument rien. C'est seulement… c'est mon nouveau costume…

RANK

Comment ça ? Mais il est là, votre costume.

NORA

Oh oui ! celui-là ! Mais il y en a un autre. Je l'ai demandé… Il ne faut pas que Torvald le sache…

RANK

Ah ! Ah ! ainsi, le voilà, le grand secret !

NORA

Oui, voilà, c'est ça. Allez donc voir Torvald. Il est dans la pièce du fond. Tenez-le occupé en attendant…

RANK

Soyez tranquille, il ne m'échappera pas.

Il entre dans le cabinet de Helmer.

NORA, *à la Bonne.*

Il attend dans la cuisine ?

LA BONNE

Oui, il est monté par l'escalier de service.

NORA

Mais tu ne lui as pas dit qu'il y avait déjà quelqu'un ici ?

LA BONNE

Si, mais rien n'y a fait.

NORA

Il ne veut pas s'en aller ?

LA BONNE

Non, il ne s'en ira pas avant d'avoir parlé à Madame.

NORA

Bon, alors, qu'il entre. Mais sans bruit. Hélène, il ne faut le dire à personne, c'est une surprise pour mon mari.

LA BONNE

Oui, oui, je comprends.

Elle sort.

NORA

L'horreur se prépare. Le voilà qui vient. Non, non, non, ça ne se peut pas. Ça ne doit pas se faire.

Elle va pousser le verrou de la porte de Helmer.

La Bonne ouvre la porte à l'avocat KROGSTAD *et referme derrière lui. Il est en pelisse de fourrure, bottes hautes et bonnet fourré.*

NORA, *allant vers lui.*

Parlez doucement, mon mari est là.

KROGSTAD

Soit !

NORA

Que me voulez-vous ?

KROGSTAD

Obtenir un renseignement.

NORA

Alors, dépêchez-vous. De quoi s'agit-il ?

KROGSTAD

Vous savez bien que j'ai reçu mon congé.

NORA

Je n'ai pas pu l'empêcher, monsieur Krogstad. J'ai lutté jusqu'au bout pour votre cause. Mais rien n'y a fait.

KROGSTAD

Votre mari a-t-il si peu d'amour pour vous ? Il sait à quoi je peux vous exposer, et tout de même, il a osé…

NORA

Et vous, comment osez-vous imaginer qu'il sache ?

KROGSTAD

Oh non ! ce n'est pas ce que je pensais non plus. Ça ne ressemble vraiment pas à mon bon Torvald Helmer de montrer tant de courage viril...

NORA

Monsieur Krogstad, j'exige que l'on respecte mon mari.

KROGSTAD

Dieu me garde, il a tout le respect qu'on lui doit. Mais comme madame cache cette histoire avec tant de soin, j'ose présumer que l'on vous a renseignée un peu mieux qu'hier sur la vraie nature de ce que vous avez fait.

NORA

Mieux que vous n'auriez pu, vous, me l'apprendre jamais.

KROGSTAD

Oui, mauvais juriste comme je suis...

NORA

Et vous me voulez quoi ?

KROGSTAD

Oh ! simplement voir comment vous allez, madame Helmer. Je n'ai cessé de penser à vous toute la journée. Un encaisseur, un faiseur de faux, un… eh bien quelqu'un comme moi a aussi un peu de ce que l'on appelle du cœur, voyez-vous.

NORA

Alors, montrez-le, pensez à mes enfants.

KROGSTAD

Et vous et votre mari, avez-vous pensé aux miens ? Mais tout ça n'a pas d'importance. Ce que je voulais simplement vous dire, c'est que vous n'avez pas besoin de prendre cette affaire trop au sérieux. Pour commencer, je ne déposerai pas de plainte contre vous.

NORA

Oh non ! Pas vrai ? Je le savais bien.

KROGSTAD

On peut arranger tout cela à l'amiable. Cela n'a tout simplement pas besoin de venir aux oreilles d'autrui. Ça restera seulement entre nous trois.

NORA

Mon mari ne devra jamais rien savoir.

KROGSTAD

Comment pouvez-vous empêcher cela ? Pouvez-vous payer ce qui reste ?

NORA

Non, pas tout de suite.

KROGSTAD

Ou bien vous avez, peut-être, un moyen de trouver de l'argent ces jours-ci ?

NORA

Aucun moyen dont je voudrais user.

KROGSTAD

Oui, ça ne vous aurait servi à rien de toute façon. Vous auriez beau être là, le paiement comptant à la main, vous n'obtiendriez pas de moi votre reçu pour autant.

NORA

Alors, expliquez-moi comment vous voulez vous en servir.

KROGSTAD

Je veux le garder… en être le dépositaire. Personne n'en saura rien. En conséquence, si vous voulez prendre une résolution désespérée…

NORA

J'y ai pensé.

KROGSTAD

Si vous deviez envisager de vous enfuir de votre foyer…

NORA

J'y ai pensé.

KROGSTAD

… ou si vous deviez penser au pire…

NORA

Comment pouvez-vous le savoir ?

KROGSTAD

… renoncez-y.

NORA

Comment pouvez-vous savoir que je pense à cela ?

KROGSTAD

Nous pensons presque tous à cela, au début. Moi aussi, j'y ai pensé ; mais, par ma foi, je n'en ai pas eu le courage…

NORA, *d'une voix sans timbre.*

Moi non plus.

KROGSTAD, *soulagé.*

Non, n'est-ce pas, vous n'en avez pas le courage, vous non plus ?

NORA

Non, je ne l'ai pas, je ne l'ai pas.

KROGSTAD

Et ce serait une grosse sottise aussi. Une fois que le premier orage conjugal sera passé… J'ai dans ma poche une lettre pour votre mari…

NORA

Où vous lui racontez tout ?

KROGSTAD

En termes aussi mesurés que possible.

NORA, *rapidement.*

Il ne faut pas qu'il reçoive cette lettre. Déchirez-la. Je trouverai l'argent.

KROGSTAD

Pardonnez-moi, madame, mais je crois vous avoir dit à l'instant…

NORA

Oh ! je ne parle pas de l'argent que je vous dois. Faites-moi savoir quelle somme vous exigez de mon mari, je me la procurerai.

KROGSTAD

Je n'exige pas d'argent de votre mari.

NORA

Qu'exigez-vous, alors ?

KROGSTAD

Vous allez le savoir. Je veux me remettre sur pied, madame, je veux y parvenir. Et votre mari doit m'y aider. Pendant un an et demi, je ne me suis rendu coupable d'aucune malhonnêteté. Pendant tout ce temps, j'ai lutté contre les conditions les plus dures. J'étais content de remonter la pente, pas à pas, par mon travail. Et maintenant, on me chasse et je ne me satisferai pas de n'être repris que par pitié. Je veux parvenir, vous dis-je. Je veux rentrer à la banque... obtenir un poste plus élevé. Votre mari doit créer un poste pour moi.

NORA

Cela, jamais il ne le fera !

KROGSTAD

Il le fera, je le connais, il n'osera pas regimber. Et si je suis à la tête de cette affaire avec lui, alors, vous allez voir ! D'ici un an, je serai le bras droit du directeur. Ce sera Nils Krogstad et non Torvald Helmer qui dirigera la banque.

NORA

Cela, vous ne le vivrez jamais !

KROGSTAD

Voulez-vous, peut-être... ?

NORA

Oui, maintenant, j'en aurai le courage.

KROGSTAD

Oh ! vous ne m'effrayez pas. Une belle dame délicate comme vous...

NORA

Vous allez voir, vous allez voir !

KROGSTAD

Sous la glace, peut-être ? Oui, dans l'eau glacée, d'un noir de charbon ? Et puis, au printemps, remonter à la surface, laide, méconnaissable, sans cheveux...

NORA

Vous ne m'effrayez pas.

KROGSTAD

Vous non plus, vous ne m'effrayez pas. Des choses de ce genre, ça ne se fait pas, madame Helmer. Et puis, à quoi cela servirait-il ? Je l'ai tout de même dans ma poche.

NORA

Même après coup ? Quand je ne serai plus... ?

KROGSTAD

Oubliez-vous que, même alors, je disposerai de

votre mémoire ? *(Nora reste sans voix et le regarde.)* Eh bien, maintenant, vous voilà prévenue. Pas de sottises ! Quand Helmer aura reçu ma lettre, j'attendrai sa réponse. Et rappelez-vous bien que c'est votre mari qui m'a forcé à faire cette démarche. Je ne le lui pardonnerai jamais. Adieu, madame.

Il sort par le vestibule.

NORA *va vers la porte du vestibule, l'entrouvre et écoute.*

Il s'en va. Il ne remet pas la lettre. Oh ! non, non. Ce serait impossible aussi ! *(Elle ouvre progressivement la porte.)* Qu'est-ce qu'il y a ? Il reste dehors, il ne descend pas l'escalier. Est-ce qu'il se ravise ? Est-ce qu'il...

Une lettre tombe dans la boîte aux lettres. Puis on entend les pas de Krogstad qui se perdent en descendant les marches.

Nora, avec un cri étouffé, court vers l'avant de la pièce et vers la table du sofa. Pause.

Dans la boîte aux lettres. *(Elle se coule, effarouchée, jusqu'à la porte du vestibule.)* Elle est là... Torvald, Torvald, nous sommes perdus !

MADAME LINDE, *arrivant de la pièce de gauche avec le costume.*

Voilà ! Je ne vois plus rien à reprendre. On pourrait essayer ?...

NORA, *rauque et lentement.*

Kristine, viens ici.

MADAME LINDE, *jetant le costume sur le sofa.*

Qu'est-ce qui ne va pas ? Tu as l'air bouleversée.

NORA

Viens ici. Tu vois cette lettre ? Là, regarde… à travers le carreau de la boîte aux lettres.

MADAME LINDE

Oui, oui, je vois.

NORA

Cette lettre est de Krogstad.

MADAME LINDE

Nora… C'est Krogstad qui t'a prêté l'argent ?

NORA

Oui, et maintenant, Torvald va tout savoir.

MADAME LINDE

Oh ! Nora, crois-moi, c'est le mieux pour vous deux.

NORA

Tu ne sais pas tout. J'ai fait un faux…

MADAME LINDE

Mais pour l'amour du Ciel !…

NORA

Voilà. C'est tout ce que je te dirai, Kristine. Tu es mon témoin.

MADAME LINDE

Comment ça, témoin ? Qu'est-ce que je dois… ?

NORA

Parce que je commence à perdre la tête… et ça pourrait bien arriver…

MADAME LINDE

Nora !

NORA

Ou s'il m'arrivait autre chose… et que je ne sois pas là pour…

MADAME LINDE

Nora, Nora, mais tu as complètement perdu la tête.

NORA

S'il y avait quelqu'un qui voulait se charger de tout, de toute la faute, comprends-tu…

MADAME LINDE

Oui, oui. Mais comment peux-tu penser ?

NORA

Alors, il faudra que tu témoignes que ce n'est

pas vrai, Kristine. Je n'ai absolument pas perdu l'esprit, j'ai toute ma tête et je te dis : personne d'autre ne sait, moi seule ai tout fait. Rappelle-toi.

MADAME LINDE

Sûrement. Mais je ne comprends pas encore.

NORA

Oh ! comment pourrais-tu comprendre ? C'est le miracle qui va avoir lieu maintenant.

MADAME LINDE

Le miracle ?

NORA

Oui, le miracle. Mais c'est tellement terrible, Kristine... Il ne faut pas que ça arrive, à aucun prix.

MADAME LINDE

Je m'en vais immédiatement parler à Krogstad.

NORA

N'y va pas, il te fera du mal.

MADAME LINDE

Il fut un temps où il aurait volontiers fait n'importe quoi pour moi.

NORA

Krogstad ?

MADAME LINDE

Où habite-t-il ?

NORA

Oh ! est-ce que je sais... Si ! *(Prenant dans sa poche.)* Voici sa carte de visite. Mais la lettre, la lettre !...

HELMER, *de l'intérieur de son cabinet, frappant à la porte.*

Nora !...

NORA, *avec un cri d'angoisse.*

Oh ! qu'est-ce qu'il y a ? Que me veux-tu ?

HELMER

Voyons, voyons, n'aie pas peur. Nous ne pouvons pas entrer, tu as fermé la porte. Tu fais des essayages ?

NORA

Oui, oui, je fais des essayages. Je vais être si jolie, Torvald !

MADAME LINDE, *qui a regardé la carte de visite.*

Mais il habite tout près d'ici, au coin de la rue.

NORA

Oui. Mais ça ne sert à rien. Nous sommes perdus. La lettre est dans la boîte.

MADAME LINDE

Ton mari a la clef ?

NORA

Oui, toujours.

MADAME LINDE

Il faut que Krogstad réclame sa lettre sans qu'on l'ait lue. Il faut qu'il trouve un prétexte.

NORA

Mais justement à cette heure-ci, Torvald a l'habitude de…

MADAME LINDE

Essaie de le retenir. Entre chez lui pour le moment. Je reviens dès que je peux.

Elle sort très rapidement par la porte du vestibule.

NORA *va à la porte de Helmer, l'ouvre et regarde à l'intérieur.*

Torvald !

HELMER, *dans la pièce du fond.*

Eh bien ! Peut-on enfin oser pénétrer dans son propre salon ? Viens, Rank, nous allons voir… *(À la porte.)* Mais qu'est-ce que c'est ?

NORA

Quoi donc, Torvald chéri ?

HELMER

Rank m'avait préparé à toute une scène de déguisement de grand style.

RANK, *à la porte.*

C'est ce que j'avais compris : mais j'ai dû me tromper.

NORA

Oui, personne ne doit m'admirer dans ma splendeur avant demain.

HELMER

Mais, ma chère Nora, tu as l'air tellement tendue. Tu as fait des répétitions ?

NORA

Non, je n'ai pas encore répété, tout simplement.

HELMER

Il le faudrait, pourtant…

NORA

Oui, il le faudrait absolument, Torvald. Mais je n'y parviens vraiment pas sans ton aide. J'ai tout oublié, tout simplement.

HELMER

Oh ! nous aurons vite fait de te rafraîchir la mémoire.

NORA

Oui, prends soin de moi, Torvald ! Tu veux bien me le promettre ? Oh ! je suis si inquiète ! Cette grande société... Tu dois te sacrifier complètement à moi, ce soir. Pas la moindre affaire, pas d'écritures ! Hein ? N'est-ce pas ? Torvald chéri ?

HELMER

Je te le promets ; ce soir, je suis entièrement à toi... petite chose désemparée... Hum ! il est vrai qu'il y a une chose tout de même que je veux d'abord...

Il va vers la porte du vestibule.

NORA

Qu'est-ce que tu veux voir là-bas ?

HELMER

Seulement voir s'il y aurait des lettres qui sont arrivées.

NORA

Non, non, n'y va pas, Torvald !

HELMER

Qu'est-ce qu'il y a donc ?

NORA

Torvald, je t'en prie, il n'y a rien.

HELMER

Alors, laisse-moi voir.

Il veut y aller.

Nora joue au piano les premières mesures de la tarentelle.

HELMER, *à la porte, s'arrête.*

Ah ! ah !

NORA

Je ne pourrai pas danser demain si je ne répète pas aujourd'hui.

HELMER, *allant vers elle.*

As-tu si peur, vraiment, chérie ?

NORA

Oh oui, terriblement peur. Laisse-moi répéter tout de suite, nous avons encore le temps avant de passer à table. Oh ! assieds-toi et joue pour moi, Torvald chéri. Corrige-moi. Guide-moi comme tu en as l'habitude.

HELMER

Volontiers, très volontiers puisque tu le désires.

Il s'assoit au piano.

NORA *sort le tambourin du carton et un long châle bariolé dont elle se drape en un clin d'œil; sur quoi elle s'avance d'un bond dans la pièce et s'écrie.*

Joue pour moi ! Je veux danser !

Helmer joue, et Nora danse. Le docteur Rank se tient près du piano derrière Helmer et regarde.

HELMER, *jouant.*

Doucement… doucement !

NORA

Je n'arrive pas !

HELMER

Moins d'emportement, Nora !

NORA

Mais c'est exactement comme ça que ça doit être.

HELMER, *s'arrêtant.*

Non, non, ça ne va pas.

NORA, *riant et agitant le tambourin.*

Tu vois bien !

RANK

Laisse-moi jouer pour elle.

HELMER, *se levant.*

Oui, volontiers, comme ça, je pourrai mieux la guider.

Rank s'assoit au piano et joue. Nora danse avec une frénésie croissante. Helmer s'est installé près du poêle et fait de temps à autre à Nora des remarques qu'elle semble ne pas entendre. Ses cheveux se dénouent et lui tombent sur les épaules. Elle n'y prête pas attention et continue de danser. Mme Linde entre.

MADAME LINDE *s'arrête, interdite, à la porte.*

Oh !...

NORA, *tout en dansant.*

Tu tombes en pleine folie, Kristine.

HELMER

Mais ma chère Nora, tu danses comme s'il y allait de ta vie.

NORA

Justement, c'est bien le cas.

HELMER

Rank, arrête. C'est de la folie pure. Arrête, donc ! *(Rank arrête de jouer, et Nora cesse soudain. À Nora.)* Ça, je n'aurais tout de même jamais cru. Tu as oublié tout ce que je t'ai appris.

NORA, *en jetant le tambourin.*

Là, tu vois bien.

HELMER

Eh bien ! il faut vraiment te guider.

NORA

Oui, c'est nécessaire, tu vois bien. Il faut tout recommencer à zéro. Tu me le promets, Torvald ?

HELMER

Absolument, comptes-y.

NORA

Tu ne dois, ni aujourd'hui ni demain, avoir de pensée pour autre chose que pour moi. Tu ne dois pas ouvrir de lettres… pas ouvrir la boîte aux lettres…

HELMER

Ah ! ah ! c'est toujours l'inquiétude pour cet homme…

NORA

Eh bien ! oui, ça aussi.

HELMER

Nora, je vois à ton air qu'il y a déjà une lettre de lui.

NORA

Je ne sais pas. Je crois. Mais tu ne dois rien lire de pareil maintenant. Il ne doit rien y avoir de laid entre nous avant que tout soit fini.

RANK, *bas, à Helmer.*

Il ne faut pas la contrarier.

HELMER, *entourant Nora de ses bras.*

L'enfant aura satisfaction. Mais demain soir, quand tu auras dansé...

NORA

Alors, tu seras libre.

LA BONNE, *à la porte de droite.*

Madame est servie.

NORA

Nous voulons du champagne, Hélène.

LA BONNE

Bien, Madame.

Elle sort.

HELMER

Hé ! hé ! un festin, par conséquent ?

NORA

Banquet au champagne, jusqu'au matin. *(Criant.)*

Et un peu de macarons, Hélène… beaucoup… pour une fois.

HELMER, *lui prenant les mains.*

Allons, allons, allons. Pas tant de frénésie. Sois donc la petite alouette, comme d'habitude.

NORA

Oh oui ! Torvald. Mais entre, en attendant. Et vous aussi, docteur Rank. Kristine, aide-moi à relever mes cheveux.

RANK, *bas, tout en passant dans la salle à manger.*

Voyons ! Il n'y a rien… rien d'autre en route ?

HELMER

Oh ! loin de là, mon cher, il n'y a strictement rien d'autre que cette angoisse puérile dont je t'ai parlé.

Ils sortent par la droite.

NORA

Eh bien ?

MADAME LINDE

Parti pour la campagne.

NORA

Je l'ai vu à ton air.

MADAME LINDE

Il revient demain soir. Je lui ai laissé un mot.

NORA

Tu n'aurais pas dû. Tu n'empêcheras rien. Au fond, c'est tout de même une joie d'attendre le miracle.

MADAME LINDE

D'attendre quoi ?

NORA

Oh ! tu ne peux pas comprendre. Va les retrouver, j'arrive tout de suite. *(Mme Linde entre dans la salle à manger ; Nora reste immobile un moment comme pour se ressaisir. Puis elle regarde sa montre.)* 5 heures. D'ici à minuit, sept heures. Puis vingt-quatre heures jusqu'à minuit prochain. Alors la tarentelle sera dansée. Vingt-quatre et sept ? Trente et une heures à vivre.

HELMER, *à la porte de droite.*

Mais que fait donc la petite alouette ?

NORA, *s'élançant dans ses bras.*

La voici !

TROISIÈME ACTE

Même appartement. La table et les chaises qui l'entourent ont été avancées au milieu de la pièce. Une lampe est allumée sur la table. La porte du vestibule est ouverte. On entend de la musique de danse venant de l'étage du dessus.

MADAME LINDE *est assise à la table et feuillette distraitement un livre ; elle essaie de lire, mais semble ne pas parvenir à fixer ses pensées ; deux ou trois fois, elle tend l'oreille vers la porte d'entrée.*

MADAME LINDE, *regardant sa montre.*

Il ne vient pas. Et pourtant, il est grand temps maintenant. Pourvu qu'il… *(Écoutant de nouveau.)* Ah ! le voilà ! *(Elle passe dans le vestibule et ouvre doucement la porte d'entrée, on entend un pas lent dans l'escalier. Elle chuchote.)* Entrez. Il n'y a personne.

KROGSTAD, *à la porte.*

J'ai trouvé chez moi un mot de vous. Qu'est-ce que cela signifie ?

MADAME LINDE

Il faut absolument que je vous parle.

KROGSTAD

Ah bon ! Et cet entretien doit absolument avoir lieu ici, dans cette maison ?

MADAME LINDE

Chez moi, c'était impossible. Je n'ai pas d'entrée indépendante. Avancez. Nous sommes seuls, la bonne dort et les Helmer sont au bal au-dessus.

KROGSTAD, *entrant dans le salon.*

Tiens ! tiens ! les Helmer dansent ce soir ! Vraiment ?

MADAME LINDE

Oui, pourquoi pas ?

KROGSTAD

Oh ! pour rien !

MADAME LINDE

Krogstad, nous avons à parler tous les deux.

KROGSTAD

Tous les deux ? Aurions-nous encore des choses à nous dire ?

MADAME LINDE

Nous avons beaucoup de choses à nous dire.

KROGSTAD

Je n'aurais pas cru.

MADAME LINDE

C'est que vous ne m'avez jamais bien comprise.

KROGSTAD

Y avait-il autre chose à comprendre que ce qui est clair comme le jour : une femme sans cœur éconduit un homme quand il se présente un parti plus avantageux.

MADAME LINDE

Croyez-vous que je sois sans cœur à ce point ? Et croyez-vous que j'aie rompu d'un cœur léger ?

KROGSTAD

Vraiment ?

MADAME LINDE

Krogstad, l'avez-vous vraiment cru ?

KROGSTAD

Dans ce cas, pourquoi m'avez-vous écrit comme vous l'avez fait ?

MADAME LINDE

Mais je ne pouvais rien faire d'autre. Puisque je devais rompre avec vous, c'était également mon devoir que d'extirper de votre cœur tout ce que vous ressentiez pour moi.

KROGSTAD, *se tordant les mains.*

Ah bon ! c'est ainsi ! Et cela… cela uniquement pour de l'argent ?

MADAME LINDE

Vous ne devez pas oublier que j'avais une mère sans ressources et deux petits frères. Nous ne pouvions pas nous attendre, Krogstad. Vous aviez des projets si lointains à ce moment-là.

KROGSTAD

Soit. Mais vous n'aviez pas le droit de me repousser pour un autre.

MADAME LINDE

Je ne sais pas. Maintes fois, je me suis demandé si j'en avais le droit.

KROGSTAD, *baissant la voix.*

Quand je vous ai perdue, ce fut comme si le sol

s'était dérobé sous mes pieds. Regardez-moi. À présent, je suis un naufragé sur une épave.

MADAME LINDE

Le salut pourrait être proche.

KROGSTAD

Il était proche, et puis vous êtes venue me l'enlever.

MADAME LINDE

C'était à mon insu, Krogstad. Ce n'est qu'aujourd'hui que j'ai appris que c'était vous que j'allais remplacer à la banque.

KROGSTAD

Je vous crois puisque vous me le dites. Mais maintenant que vous le savez, allez-vous y renoncer ?

MADAME LINDE

Non, car cela ne vous servirait à rien.

KROGSTAD

Oh ! servir, servir… Moi, c'est ce que je ferais tout de même.

MADAME LINDE

J'ai appris à agir raisonnablement. La vie et l'amère nécessité me l'ont appris.

KROGSTAD

Et moi, la vie m'a appris à ne pas croire aux belles paroles.

MADAME LINDE

Alors, la vie vous a appris une chose fort sensée. Mais aux actes, il faut bien que vous croyiez, tout de même ?

KROGSTAD

Comment cela ?

MADAME LINDE

Vous disiez que vous étiez comme un naufragé sur une épave ?

KROGSTAD

J'avais sans doute de bonnes raisons de parler ainsi.

MADAME LINDE

Eh bien ! moi aussi, je suis comme une naufragée sur une épave. Personne à qui me dévouer, personne qui ait besoin de moi.

KROGSTAD

C'est vous qui l'avez voulu.

MADAME LINDE

Je n'avais pas le choix.

KROGSTAD

Bon. Et alors ?

MADAME LINDE

Krogstad, si, maintenant, nous deux, deux naufragés, nous allions l'un vers l'autre ?

KROGSTAD

Qu'est-ce que vous dites ?

MADAME LINDE

Deux sur la même épave, c'est tout de même mieux que chacun sur la sienne.

KROGSTAD

Kristine !

MADAME LINDE

Pourquoi croyez-vous que je sois venue ici en ville ?

KROGSTAD

Auriez-vous eu une pensée pour moi ?

MADAME LINDE

Il faut que je travaille si je dois accepter de vivre. Tous les jours de ma vie, aussi loin que je me souvienne, j'ai travaillé, et ç'a été ma meilleure et ma seule joie. Mais maintenant, me voici tout à fait seule au monde, effroyablement vide et abandonnée. Il n'y a aucune joie à travailler pour soi-même, n'est-ce pas ? Krogstad, donnez-moi quelque chose et quelqu'un pour qui travailler.

KROGSTAD

Je ne vous crois pas. Ce n'est rien d'autre que l'orgueil féminin exalté et ardent à se sacrifier.

MADAME LINDE

M'avez-vous jamais connue exaltée ?

KROGSTAD

Alors, vous pensez vraiment ce que vous dites ? Mais dites-moi... Êtes-vous parfaitement au courant de mon passé ?

MADAME LINDE

Oui.

KROGSTAD

Et vous savez ce que je suis en train de payer ici ?

MADAME LINDE

Vous laissiez entendre tout à l'heure qu'avec moi vous auriez pu devenir un autre.

KROGSTAD

J'en suis sûr.

MADAME LINDE

Est-ce que ça ne pourrait se faire encore ?

KROGSTAD

Kristine… avez-vous bien réfléchi ? Oui, je le vois à votre air. Auriez-vous donc vraiment le courage…

MADAME LINDE

J'ai besoin de quelqu'un à qui tenir lieu de mère. Et vos enfants ont besoin d'une mère. Nous avons tous deux besoin l'un de l'autre, Krogstad. J'ai confiance en ce qu'il y a de plus profond en vous… Avec vous, je n'aurai peur de rien.

KROGSTAD, *lui prenant les mains.*

Merci, merci, Kristine… Maintenant je saurai me relever aux yeux des autres… Ah ! mais j'oubliais…

MADAME LINDE, *écoutant.*

Chut ! la tarentelle ! Allez-vous-en ! Allez-vous-en !

KROGSTAD

Pourquoi ? Qu'est-ce qu'il y a ?

MADAME LINDE

Vous entendez cette danse, là-haut ? Quand elle sera finie, ils vont rentrer.

KROGSTAD

Eh bien, je m'en vais. Je n'ai plus rien à faire ici, n'est-ce pas ? Bien entendu, vous n'êtes pas au courant de la démarche que j'ai faite contre les Helmer ?

MADAME LINDE

Si, Krogstad, je suis au courant.

KROGSTAD

Et tout de même, vous auriez le courage de… ?

MADAME LINDE

Je comprends bien où le désespoir peut pousser un homme comme vous.

KROGSTAD

Oh ! si je pouvais défaire ce que j'ai fait !

MADAME LINDE

Vous le pouvez sûrement. Votre lettre est encore dans la boîte.

KROGSTAD

Vous en êtes sûre ?

MADAME LINDE

Absolument sûre. Mais…

KROGSTAD, *la regardant d'un air scrutateur.*

Est-ce que c'est là l'explication ? Vous voulez

sauver votre amie à tout prix. Dites-le carrément. C'est bien cela ?

MADAME LINDE

Krogstad, quand on s'est une fois vendu pour l'amour des autres, on ne recommence pas.

KROGSTAD

Je vais redemander ma lettre.

MADAME LINDE

Mais non.

KROGSTAD

Si, naturellement. J'attends ici jusqu'à ce que Helmer descende. Je lui dis qu'il doit me redonner ma lettre… qu'il ne s'agit que de mon renvoi… qu'il n'a pas besoin de la lire…

MADAME LINDE

Non, Krogstad, vous ne devez pas réclamer cette lettre.

KROGSTAD

Mais dites-moi, en fait, n'est-ce pas pour cela que vous m'avez convoqué ici ?

MADAME LINDE

Oui, dans le premier moment d'alarme. Mais maintenant, vingt-quatre heures se sont écoulées et, pendant ce temps, j'ai été témoin de choses incroyables, ici, dans cette maison. Helmer doit tout savoir. Ce malheureux secret doit venir au grand jour. Il faut qu'il y ait une explication complète entre eux deux. Assez de toutes ces cachotteries, de toutes ces dérobades !

KROGSTAD

Eh bien soit ! si vous le prenez sur vous… Mais il y a une chose, en tout cas, que je peux faire, et il faut le faire immédiatement…

MADAME LINDE, *écoutant.*

Dépêchez-vous ! Allez-vous-en ! Allez-vous-en ! La danse est terminée, nous ne sommes plus tranquilles.

KROGSTAD

Je vous attends en bas.

MADAME LINDE

Oui, c'est ça. Vous m'accompagnerez jusqu'à ma porte.

KROGSTAD

Jamais encore, je n'ai été aussi incroyablement heureux !

Il sort par la porte extérieure. La porte entre le salon et le vestibule reste ouverte.

MADAME LINDE, *débarrassant un peu et préparant son manteau.*

Quel tournant ! Oui, quel tournant ! Des êtres humains pour qui travailler… pour qui vivre. Un foyer où apporter le bien-être. Eh bien ! il va falloir vraiment s'y mettre… Et s'ils arrivaient bientôt… *(Écoutant.)* Ah ! les voilà. Mon manteau.

Elle prend son manteau et son chapeau.

On entend les voix de Helmer et de Nora au-dehors ; une clef tourne et HELMER *introduit* NORA *presque de force. Elle est en costume italien, enveloppée d'un grand châle noir, il est en habit de soirée, un domino noir jeté sur les épaules.*

NORA, *encore à la porte, résistant.*

Non, non, non, pas ici ! Je veux remonter. Je ne veux pas me retirer si tôt.

HELMER

Voyons, Nora chérie…

NORA

Oh ! je t'en prie, Torvald ; je t'en supplie… rien qu'une heure encore !

HELMER

Pas une minute, ma douce Nora. Tu sais qu'il y avait une convention. Allons ! Entre au salon. Ici, tu te refroidis.

Il la fait entrer dans le salon malgré sa résistance.

MADAME LINDE

Bonsoir.

NORA

Kristine !

HELMER

Quoi, madame Linde, vous ici, si tard !

MADAME LINDE

Oui, excusez-moi. J'avais tellement envie de voir Nora dans son beau costume.

NORA

Tu es restée ici à m'attendre ?

MADAME LINDE

Oui, malheureusement, je ne suis pas arrivée assez tôt. Tu étais déjà là-haut. Et je n'ai pas voulu repartir sans t'avoir vue.

HELMER, *enlevant le châle de Nora.*

Eh bien ! Regardez-la bien. Je crois qu'elle vaut la peine d'être regardée. Est-ce qu'elle n'est pas délicieuse, madame Linde ?

MADAME LINDE

Oh si ! il faut le dire…

HELMER

Est-ce qu'elle n'est pas merveilleusement jolie ? C'est aussi ce que tout le monde pensait là-haut. Mais elle est terriblement entêtée… cette douce petite chose. Et qu'est-ce que nous pouvons y faire ? Figurez-vous un peu, il a presque fallu que je l'emmène de force.

NORA

Oh ! Torvald ! Tu vas regretter de ne pas m'avoir accordé ne serait-ce qu'une demi-heure de plus.

HELMER

Vous entendez, madame. Elle danse sa tarentelle… elle a un succès fou… et bien mérité… bien qu'elle y ait mis, peut-être, un peu trop de naturel. Je veux dire… un peu plus qu'il n'est nécessaire dans l'art. Mais passons ! L'essentiel, c'est qu'elle ait eu du succès, un succès formidable ! Devais-je la laisser après cela ? Ça aurait diminué l'effet ! Non, merci ! J'ai pris par le bras ma délicieuse petite fille de Capri… capricieuse petite fille de Capri, pourrais-je dire. Un tour rapide à travers la salle, une courbette par-ci, une courbette par-là, et… comme on dit dans les romans, la belle vision a disparu. Il faut toujours de l'effet dans les dénouements, madame Linde.

Mais cela, il m'est impossible de le faire comprendre à Nora. Ouf ! ce qu'il fait chaud ici ! *(Il jette son domino sur une chaise et ouvre la porte de son cabinet.)* Comment ? Il fait noir ici. Ah ! c'est vrai ! Excusez-moi !

Il entre et allume quelques lumières.

NORA *chuchote rapidement et hors d'haleine.*

Eh bien ?

MADAME LINDE, *bas.*

Je lui ai parlé.

NORA

Et alors… ?

MADAME LINDE

Nora… Il faut tout dire à ton mari.

NORA, *d'une voix sans timbre.*

Je le savais.

MADAME LINDE

Du côté de Krogstad, tu n'as rien à craindre. Mais il faut que tu parles.

NORA

Je ne parlerai pas.

MADAME LINDE

Alors, la lettre parlera pour toi.

NORA

Merci, Kristine. Maintenant, je sais ce qu'il me reste à faire. Chut !…

HELMER, *entrant.*

Eh bien ! madame ! Vous l'avez admirée ?

MADAME LINDE

Oui, et maintenant, je vais vous souhaiter bonne nuit.

HELMER

Oh ! déjà ? C'est à vous, ce tricot ?

MADAME LINDE, *le prenant.*

Oui, merci, j'allais l'oublier.

HELMER

Alors, comme ça, vous tricotez ?

MADAME LINDE

Oh oui !

HELMER

Vous savez, vous devriez faire de la broderie.

MADAME LINDE

Ah bon ! Pourquoi ça ?

HELMER

Eh bien ! parce que c'est beaucoup plus joli. Regardez. On tient la broderie ainsi, de la main gauche, et l'on pousse l'aiguille de la droite, comme ça, en décrivant une longue courbe légère.

MADAME LINDE

Oui, c'est bien possible.

HELMER

En revanche, tricoter, ce que ça peut être laid. Voyez : les bras collés au corps… les aiguilles à tricoter qui montent et qui descendent… ça a quelque chose de… chinois. Ah ! c'était vraiment un fameux champagne qu'on nous a servi.

MADAME LINDE

Bonne nuit, Nora, et ne sois donc plus entêtée.

HELMER

Bien parlé, madame Linde !

MADAME LINDE

Bonne nuit, monsieur le directeur !

HELMER, *l'accompagnant jusqu'à la porte.*

Bonne nuit, bonne nuit. J'espère que vous retrouverez votre chemin. Je voudrais bien… mais ce n'est pas loin, n'est-ce pas ? Bonne nuit, madame, bonne nuit. *(Elle sort, il referme la porte derrière elle et rentre.)* Parfait ! Nous avons fini par la mettre à la porte. Elle est terriblement ennuyeuse, cette bonne femme-là.

NORA

N'es-tu pas très fatigué, Torvald ?

HELMER

Non, pas le moins du monde.

NORA

Tu n'as pas sommeil non plus ?

HELMER

Pas du tout, au contraire, je me sens formidablement éveillé. Mais toi ? Oui, tu as l'air d'être fatiguée et d'avoir sommeil.

NORA

Oui, moi, je suis très fatiguée. Je vais dormir bientôt.

HELMER

Tu vois bien. Par conséquent, j'avais raison de ne pas vouloir rester davantage.

NORA

Oh ! tu as toujours raison dans tout ce que tu fais.

HELMER, *l'embrassant sur le front.*

Voilà que l'alouette parle comme un être humain. Mais as-tu remarqué comme Rank était gai ce soir ?

NORA

Ah bon ? Il était gai ? Je n'ai pas eu l'occasion de lui parler.

HELMER

Et moi, presque pas non plus. Mais il y a longtemps que je ne l'ai vu d'aussi bonne humeur. *(Il la regarde un moment, puis s'approche.)* Hum... C'est tout de même splendide d'être rentré chez soi, d'être tout seul avec toi... Oh ! la ravissante, la délicieuse petite femme que tu es !

NORA

Ne me regarde pas ainsi, Torvald !

HELMER

Je ne regarderais pas mon bien le plus cher ! Ma splendeur à moi, à moi seul, à moi tout entière !

NORA, *passant de l'autre côté de la table.*

Ne me parle pas ainsi. Il ne le faut pas cette nuit.

HELMER, *la suivant.*

Tu as encore la tarentelle dans le sang, à ce que

je vois. Et cela te rend encore plus séduisante. Écoute ! Les invités commencent à s'en aller. *(Plus bas.)* Nora… bientôt, tout sera silencieux dans la maison.

NORA

Espérons-le.

HELMER

Oui, n'est-ce pas, ma Nora bien-aimée à moi ? Oh ! tu sais bien… quand je suis dans le monde avec toi, comme ça… sais-tu pourquoi je te parle si peu, pourquoi je me tiens si loin de toi, pourquoi je te jette seulement un coup d'œil à la dérobée, parfois… oui, sais-tu pourquoi ? C'est parce qu'alors je m'imagine que tu es ma bien-aimée en secret, ma petite fiancée secrète, et que personne ne soupçonne qu'il y a quelque chose entre nous deux.

NORA

Oh ! oui, oui, oui. Je sais bien, va, que toutes tes pensées vont à moi.

HELMER

Et quand nous devons partir et que je pose le châle sur tes jolies épaules pleines de jeunesse… sur cette merveilleuse courbure de ta nuque… alors, je m'imagine que tu es ma toute jeune mariée, que nous venons d'être unis l'un à l'autre, que je te conduis chez moi pour la première fois... que je suis seul, pour la première fois, avec toi... absolument seul avec toi, toi, jeune beauté frémissante ! Toute cette soirée, je n'ai cessé de te désirer. Quand je t'ai vue séduire et provoquer dans la tarentelle... mon sang bouillait, je n'y tenais plus... c'est pour ça que je t'ai enlevée si tôt...

NORA

Va-t'en, Torvald ! Il faut me laisser, je ne veux pas de tout cela.

HELMER

Qu'est-ce que ça signifie ? Tu te moques de moi, petite Nora. Tu ne veux pas ? Est-ce que je ne suis pas ton mari ?...

On frappe à la porte d'entrée.

NORA, *tressaillant.*

Tu as entendu ?...

HELMER, *allant vers le vestibule.*

Qui est là ?

RANK, *au-dehors.*

C'est moi. Puis-je entrer un instant ?

HELMER, *bas, agacé.*

Oh ! qu'est-ce qu'il veut donc, maintenant ? *(Haut.)* Attends un peu. *(Il va ouvrir.)* Eh bien !

euh ! c'est gentil de ne pas être passé devant notre porte sans frapper.

RANK

Il m'a semblé entendre ta voix, et j'avais envie d'entrer. *(Il jette un coup d'œil autour de lui.)* Eh oui ! ces chers lieux bien connus. Tout est tiède et heureux chez vous.

HELMER

Il semble que tu ne te sois pas déplu là-haut non plus.

RANK

Je m'y suis extrêmement plu. Et pourquoi pas ? Pourquoi ne pas jouir de tout ce qu'il y a en ce bas monde ? En tout cas, autant qu'on peut, et aussi longtemps qu'on le peut. Le vin était excellent…

HELMER

Surtout le champagne.

RANK

Toi aussi, tu l'as remarqué ? C'est incroyable ce que j'ai pu en avaler.

NORA

Torvald aussi en a bu beaucoup ce soir.

RANK

Vraiment ?

NORA

Oui. Et cela rend toujours si drôle...

RANK

Bon. Et pourquoi ne pas s'offrir une joyeuse soirée après une journée bien remplie ?

HELMER

Bien remplie ! Hélas, je n'ose pas m'en vanter.

RANK, *lui donnant une tape sur l'épaule.*

Mais moi, je m'en vante, vois-tu !

NORA

Docteur Rank, vous avez sûrement étudié un cas scientifique, aujourd'hui.

RANK

Oui, exactement !

HELMER

Tiens ! tiens ! la petite Nora qui parle de cas scientifiques !

NORA

Et dois-je vous féliciter du résultat ?

RANK

Oui, ma foi, vous le pouvez.

NORA

Donc, c'était bien.

RANK

Le mieux possible. À la fois pour le médecin et pour le patient… La certitude.

NORA, *vite et inquisitrice.*

La certitude ?

RANK

La certitude absolue. Sinon, je ne me serais pas accordé une si joyeuse soirée.

NORA

Vous avez eu raison, docteur Rank.

HELMER

C'est également mon avis, pour peu que tu n'aies pas à en souffrir demain.

RANK

Hé ! on n'a rien pour rien en cette vie.

NORA

Docteur Rank… vous aimez certainement beaucoup les mascarades ?

RANK

Oui, quand il y a pas mal de déguisements grotesques…

NORA

Voyons. Comment nous déguiserons-nous, tous les deux, à la prochaine mascarade ?

HELMER

Petite folle… Tu penses déjà à la prochaine ?

RANK

Nous deux ? Eh bien, je vais vous le dire. Vous, vous serez l'enfant porte-bonheur…

HELMER

Oui, mais va donc trouver le costume !

RANK

Laisse ta femme se présenter telle qu'elle est, telle que nous la voyons chaque jour…

HELMER

Vraiment, c'est parfaitement dit. Mais toi, sais-tu comment tu seras ?

RANK

Oh ! mon cher ami, je suis parfaitement fixé là-dessus.

HELMER

Eh bien ! dis-le !

RANK

À la prochaine mascarade, je serai l'homme invisible.

HELMER

En voilà une idée farfelue !

RANK

Il y a un grand chapeau noir... Tu n'as pas entendu parler du chapeau qui rend invisible ? On se le met sur la tête et hop ! plus personne ne vous voit.

HELMER, *avec un sourire contenu.*

Oui, je vois.

RANK

Mais j'ai tout simplement oublié pourquoi je venais. Helmer, donne-moi un cigare, un de tes havanes noirs.

HELMER

Avec le plus grand plaisir.

Il lui présente l'étui.

RANK *en prend un et coupe le bout.*

Merci.

NORA, *frottant une allumette.*

Permettez-moi de vous donner du feu.

RANK

Merci bien ! *(Elle approche l'allumette, il allume son cigare.)* Et maintenant, adieu !

HELMER

Adieu, adieu, cher ami !

NORA

Dormez bien, docteur Rank.

RANK

Merci de ce souhait.

NORA

Souhaitez-moi la même chose.

RANK

À vous ? Eh bien ! bon ! si vous le voulez... Dormez bien, et merci pour le feu.

Il leur fait un signe à tous deux et s'en va.

HELMER, *contenu.*

Il avait pas mal bu.

NORA, *absente.*

Peut-être bien.

Helmer sort de sa poche son trousseau de clefs et se rend dans le vestibule.

Torvald, que fais-tu ?

HELMER

Je vais vider la boîte aux lettres. Elle est pleine. Il n'y aura plus de place pour les journaux demain matin.

NORA

Tu veux travailler cette nuit ?

HELMER

Tu sais bien que non… Oh ! ça alors ! Quelqu'un a touché à la serrure ?

NORA

À la serrure ?

HELMER

Oui, c'est ça. Qu'est-ce que ça veut dire ? Je n'aurais jamais cru, pourtant, que les bonnes… Tiens, voici une épingle à cheveux cassée. Mais, Nora, c'est à toi !…

NORA, *vite.*

Ce sont peut-être les enfants…

HELMER

Tu devrais vraiment leur ôter cette habitude.

Hum, Hum… Bien, je l'ai ouverte tout de même. *(Il sort le contenu et crie.)* Hélène ? Hélène ! éteignez la lampe de l'entrée. *(Il rentre dans le salon et ferme la porte de l'entrée, les lettres à la main.)* Regarde ! comme il y en a ! *(Il feuillette.)* Qu'est-ce que c'est que ça ?

NORA, *à la fenêtre.*

La lettre ! Oh non, non, Torvald !

HELMER

Deux cartes de visite… de Rank !

NORA

Du docteur Rank ?

HELMER, *les regardant.*

Rank, docteur en médecine. Elles étaient sur le dessus. Il a dû les glisser en sortant.

NORA

Est-ce qu'il y a quelque chose d'écrit ?

HELMER

Il y a une croix noire au-dessus du nom. Tiens. C'est tout de même une plaisanterie désagréable. C'est comme s'il faisait part de son propre décès, on dirait.

NORA

Et c'est bien cela.

HELMER

Quoi ? Que sais-tu ? T'a-t-il dit quelque chose ?

NORA

Oui. Puisque ces cartes sont là, c'est qu'il a pris congé de nous. Il va s'enfermer et mourir.

HELMER

Mon pauvre ami. Je savais bien que je ne le garderais pas longtemps. Mais si tôt… Et puis, il s'en va se cacher comme une bête blessée.

NORA

Quand cela doit arriver, le mieux est que ça se passe sans paroles. Pas vrai, Torvald ?

HELMER, *faisant les cent pas.*

Il faisait partie de la famille. Je ne parviens pas à me l'imaginer disparu. Avec ses souffrances et son humeur solitaire, il faisait pour ainsi dire un arrière-plan d'ombre à notre bonheur ensoleillé… Enfin, c'est peut-être mieux ainsi. Pour lui, en tout cas. *(Il s'arrête.)* Et pour nous aussi, peut-être, Nora. Maintenant, nous voici tous les deux voués l'un à l'autre. *(Il la prend dans ses bras.)* Oh ! ma femme bien-aimée, il me semble que je ne te serrerai jamais assez fort. Tu sais, Nora… souvent, je te voudrais menacée d'un danger, un danger tel que je puisse risquer ma vie, mon sang, tout, pour toi.

NORA, *se libérant,*
d'une voix ferme et résolue.

Maintenant, lis tes lettres, Torvald.

HELMER

Non, non, pas cette nuit. Je veux rester avec toi, ma femme bien-aimée.

NORA

Avec la pensée de la mort de ton ami ?

HELMER

Tu as raison. Cela nous a secoués tous les deux. La laideur s'est glissée entre nous. La pensée de la mort et de la dissolution. Il faut que nous cherchions à nous en délivrer. Jusque-là... nous allons nous retirer chacun chez soi.

NORA, *se jetant à son cou.*

Bonne nuit, Torvald, bonne nuit !

HELMER, *l'embrassant sur le front.*

Bonne nuit, mon petit oiseau chanteur. Dors bien, Nora. Je vais lire ces lettres.

Il entre dans son cabinet avec le paquet et referme la porte derrière lui.

NORA, *les yeux égarés, tâtonnant alentour,*
saisit le domino de Helmer, s'en enveloppe
et dit rapidement, d'une voix rauque et saccadée.

Ne plus jamais le revoir. Jamais, jamais, jamais.

(Elle se jette son châle sur la tête.) Ne plus jamais revoir les enfants non plus. Eux non plus. Jamais. Jamais... Oh ! cette eau noire et glacée. Oh ! l'abîme sans fond... Ce... Oh ! si seulement c'était fini... Maintenant, il la prend. Maintenant, il la lit. Oh non ! Pas encore ! Torvald, adieu, toi et les enfants.

Elle veut se précipiter vers l'entrée.

Au même instant, Helmer ouvre sa porte à toute volée et paraît, une lettre dépliée à la main.

HELMER

Nora !

NORA, *avec un cri aigu.*

Ah !...

HELMER

Qu'est-ce que c'est ? Sais-tu ce qu'il y a dans cette lettre ?

NORA

Oui, je le sais. Laisse-moi m'en aller ! Laisse-moi partir !

HELMER, *la retenant.*

Où vas-tu ?

NORA, *essayant de se dégager.*

Tu ne me sauveras pas, Torvald !

HELMER, *reculant.*

C'est donc vrai ! C'est vrai, ce qu'il écrit ? Horreur ! Non, non, c'est impossible, ça ne peut pas être vrai.

NORA

C'est vrai. Je t'ai aimé plus que tout au monde.

HELMER

Oh ! ne cherche pas à t'en sortir par des niaiseries.

NORA *fait un pas vers lui.*

Torvald !...

HELMER

Malheureuse... qu'est-ce que tu as fait là !

NORA

Laisse-moi m'en aller. Tu ne porteras pas le poids de ma faute. Tu ne dois pas te charger de cela.

HELMER

Pas de comédie. *(Il verrouille la porte d'entrée.)* Tu vas rester ici, tu vas me rendre des comptes. Comprends-tu ce que tu as fait ? Réponds-moi ! Comprends-tu ?

NORA *le regarde, absente,*
et dit d'un ton roide.

Oui, maintenant, je commence à comprendre.

HELMER, *circulant dans la pièce.*

Oh ! l'épouvantable réveil ! Pendant ces huit années... Elle qui était ma joie et ma fierté... une hypocrite, une menteuse... pis, pis... une scélérate ! Oh ! quel abîme ! quelle laideur que tout cela ! Pouah !

Nora se tait et continue à le regarder d'un air absent.

HELMER *s'arrête devant elle.*

J'aurais dû me douter que quelque chose de ce genre arriverait. J'aurais dû le prévoir. Avec la légèreté des principes de ton père... Tais-toi ! et de ces principes, tu as hérité. Pas de religion, pas de morale, pas de sens du devoir... Oh ! comme j'ai été puni d'avoir jeté un voile sur sa conduite. C'est pour toi que je l'ai fait. Et voilà comment tu me récompenses.

NORA

Oui, voilà.

HELMER

Maintenant, tu as détruit tout mon bonheur. Tu as anéanti tout mon avenir. Oh ! c'est épouvantable d'y penser. Je suis à la merci d'un être sans scrupules. Il peut faire de moi ce qu'il veut, exiger de moi ce qu'on voudra, ordonner, commander comme il lui plaira sans que j'ose souffler mot. Ainsi, je peux être coulé lamentablement, coulé à pic à cause d'une femme écervelée.

NORA

Quand j'aurai quitté ce monde, tu seras libre.

HELMER

Oh ! pas de simagrées. Ton père aussi manipulait des expressions de ce genre. À quoi me servirait-il que tu quittes ce monde, comme tu dis ? Ça ne servirait strictement à rien. Il peut tout de même ébruiter la chose. Et s'il le fait, je serai peut-être soupçonné d'avoir été complice de ton acte criminel. On croira peut-être que je me tenais derrière… que c'est moi qui t'ai encouragée ! Et c'est à toi que je dois tout cela, à toi que j'ai portée dans mes bras d'un bout à l'autre de notre vie commune. Comprends-tu maintenant ce que tu as fait ?

NORA, *avec un calme glacé.*

Oui.

HELMER

C'est tellement incroyable que je n'arrive pas à m'y faire. Mais il faut redresser tout cela. Enlève ce châle. Enlève-le, te dis-je ! Il faut que je lui donne satisfaction d'une manière ou d'une autre.

Il s'agit d'étouffer cette affaire à tout prix. En ce qui nous concerne, toi et moi, tout doit paraître inchangé entre nous. Mais naturellement, seulement aux yeux du monde. Par conséquent, tu resteras ici, cela va de soi. Mais les enfants, il te sera interdit de les élever, je n'ose pas te les confier… Oh ! lui dire tout cela, à elle que j'ai tant aimée et que maintenant encore… Allons ! il faut en finir. Désormais, il n'est plus question de bonheur. Il s'agit uniquement de sauver les restes, des débris, l'apparence.

On sonne dans l'entrée.

HELMER, *sursautant.*

Qu'est-ce que c'est ? Si tard. Serait-ce déjà l'horreur !… Est-ce qu'il… Cache-toi, Nora ! Dis que tu es malade.

Nora reste debout, immobile. Helmer va ouvrir la porte de l'entrée.

LA BONNE, *à demi vêtue, dans l'entrée.*

C'est une lettre pour Madame.

HELMER

Donne-moi ça. *(Il saisit la lettre et ferme la porte.)* Oui, c'est de lui. Tu ne l'auras pas, je veux la lire, moi-même.

NORA

Eh bien, lis !

HELMER, *près de la lampe.*

Je n'en ai guère le courage. Peut-être sommes-nous perdus, toi et moi. Non, il faut que je sache. *(Il décachette rapidement la lettre, parcourt quelques lignes, regarde un papier joint à la lettre. Un cri de joie.)* Nora ! *(Nora le regarde d'un air interrogateur.)* Nora !... Non, il faut que je lise encore une fois... Si ! si, c'est bien ça. Je suis sauvé ! Nora, je suis sauvé !

NORA

Et moi ?

HELMER

Toi aussi, bien entendu. Nous sommes sauvés tous les deux, toi et moi. Regarde ! Il te renvoie ton reçu. Il écrit qu'il se repent, qu'il regrette... qu'un heureux événement dans sa vie... Oh ! peu importe ce qu'il écrit. Nous sommes sauvés, Nora ! Personne ne peut plus te nuire. Oh ! Nora, Nora... Non, détruisons d'abord toutes ces horreurs. Voyons... *(Il jette un coup d'œil sur le reçu.)* Non, je ne veux pas voir ça, tout ça n'aura été qu'un mauvais rêve. *(Il déchire le reçu et les deux lettres, jette le tout dans le poêle et regarde brûler.)* Voilà, maintenant, cela n'existe plus... Il disait que depuis la veille de Noël, tu... Oh ! ça a dû être trois jours effroyables pour toi, Nora.

NORA

J'ai livré un rude combat pendant ces trois jours.

HELMER

Et tu t'es désespérée, ne voyant pas d'autre issue que… Non. Nous ne garderons aucun souvenir de ces horreurs. Nous allons nous réjouir et répéter sans cesse : c'est fini, c'est fini ! Écoute-moi donc, Nora, tu ne sembles pas comprendre : c'est fini. Qu'est-ce qu'il y a donc… cet air compassé ? Oh ! ma pauvre petite Nora, je comprends bien. Tu sembles ne pas croire que je t'ai pardonné. Mais je t'ai pardonné, Nora, je te le jure, je t'ai tout pardonné. Je sais bien que ce que tu as fait, tu l'as fait par amour pour moi.

NORA

C'est vrai.

HELMER

Tu m'as aimé comme une femme doit aimer son mari. C'est seulement le choix des moyens qui t'a échappé. Mais crois-tu que tu me sois moins chère parce que tu ne sais pas te conduire toute seule ? Non, non. Repose-toi sur moi. Je te conseillerai ; je te guiderai. Je ne serais pas un homme si tes faiblesses féminines ne te rendaient d'autant plus séduisante. Ne tiens pas compte des dures paroles que je t'ai dites dans mon premier désarroi, quand il me semblait que tout allait s'effondrer sous moi. Je t'ai pardonné, Nora, je te jure que je t'ai pardonné.

NORA

Je te remercie de ton pardon.

Elle sort par la porte de droite.

HELMER

Non, reste… *(Il la suit des yeux.)* Que vas-tu faire dans la chambre ?

NORA, *dans sa chambre.*

Enlever mon costume de mascarade.

HELMER, *près de la porte restée ouverte.*

Oui, c'est ça, fais ce qu'il faut pour retrouver le calme et rassembler tes esprits, pour reprendre ton équilibre, mon petit oiseau chanteur effarouché. Repose-toi en confiance. J'ai de larges ailes pour te protéger. *(Marchant à proximité de la porte.)* Oh ! comme notre foyer est tiède et charmant, Nora. Ici, tu es à l'abri. Je vais te garder, comme une colombe pourchassée que je suis parvenu à tirer intacte des serres du vautour. Je saurai apaiser ton pauvre cœur qui palpite. Cela se fera peu à peu, Nora, crois-moi. Demain, tout cela t'apparaîtra sous un autre jour. Bientôt, tout sera comme avant, je n'aurai plus besoin de te redire que je t'ai pardonné. Tu le sentiras bien toi-même. Comment peux-tu penser que j'aie pu vouloir te rejeter ou même te faire des reproches. Oh ! tu ne sais pas vraiment ce qu'est un cœur d'homme, Nora. C'est pour un homme une telle douceur, une si grande satisfaction que d'avoir pardonné à sa femme du fond du cœur… de lui avoir pardonné d'un cœur entier et sincère. Ainsi, elle lui appartient doublement, en quelque sorte : il l'a, pour ainsi dire, remise au monde, elle est devenue, d'une certaine façon, à la fois son épouse et son enfant. C'est ce que tu seras pour moi désormais, petit être farouche et désemparé. Ne t'inquiète de rien, Nora. Sois seulement franche envers moi, et moi, je serai à la fois ta volonté et ta conscience… Mais qu'est-ce qu'il y a ? Tu ne te couches pas ? Tu t'es rhabillée ?

NORA, *qui a remis sa robe de tous les jours.*

Oui, Torvald, je me suis rhabillée.

HELMER

Mais pourquoi, maintenant, si tard ?…

NORA

Cette nuit, je ne dormirai pas.

HELMER

Mais, Nora chérie…

NORA, *regardant sa montre.*

Il n'est pas si tard encore. Assieds-toi, Torvald. Nous avons beaucoup à nous dire, toi et moi.

Elle s'assoit à l'un des bouts de la table.

HELMER

Nora… qu'est-ce que ça signifie ? cette mine compassée…

NORA

Assieds-toi. Ce sera long. J'ai beaucoup de choses à te dire.

HELMER, *s'asseyant en face d'elle.*

Tu m'inquiètes, Nora. Et je ne te comprends pas.

NORA

Précisément. Tu ne me comprends pas. Et moi non plus, je ne t'ai jamais compris… avant ce soir. Non, ne m'interromps pas. Écoute ce que je te dis… Nous avons des comptes à régler, Torvald.

HELMER

Comment cela ? Que veux-tu dire ?

NORA, *après un court silence.*

Est-ce qu'il n'y a pas une chose qui te frappe, assis comme nous le sommes, ici, l'un en face de l'autre ?

HELMER

Que veux-tu dire ?

NORA

Il y a maintenant huit ans que nous sommes

mariés. Est-ce qu'il ne te vient pas à l'idée que c'est la première fois que nous deux, toi et moi, mari et femme, nous parlons sérieusement ensemble ?

HELMER

Sérieusement, oui… qu'est-ce que cela veut dire ?

NORA

Pendant huit longues années… et même davantage… depuis le premier jour où nous avons fait connaissance, nous n'avons jamais échangé un propos sérieux sur un sujet sérieux.

HELMER

Aurais-je donc dû constamment t'initier à des soucis que tu n'aurais de toute façon pas pu m'aider à porter ?

NORA

Je ne parle pas de soucis. Je te dis que nous ne nous sommes jamais trouvés sérieusement ensemble pour chercher à aller au fond de quoi que ce soit.

HELMER

Mais, bien chère Nora, est-ce que ça aurait été une occupation pour toi ?

NORA

Nous y voici. Tu ne m'as jamais comprise… On

m'a fait grand tort, Torvald. D'abord papa, puis toi.

HELMER

Quoi ! Nous deux… nous deux, qui t'avons le plus aimée ?

NORA, *secouant la tête.*

Vous ne m'avez jamais aimée. Il vous a paru agréable d'être en adoration devant moi, voilà tout.

HELMER

Mais, Nora, qu'est-ce que c'est que ces propos ?

NORA

Oui, c'est ainsi, Torvald. Quand j'étais chez papa, il me faisait part de toutes ses opinions, et donc je les partageais. Et si j'en avais d'autres, je les cachais parce que ça ne lui aurait pas plu. Il m'appelait sa petite poupée et il jouait avec moi comme je jouais avec mes poupées. Puis je suis venue dans ta maison.

HELMER

Tu as de curieuses expressions pour parler de notre mariage.

NORA, *imperturbable.*

Je veux dire que je suis passée des mains de papa dans les tiennes. Tu as tout arrangé à ton goût, et donc j'ai eu le même goût que toi ; ou bien j'ai fait semblant ; je ne sais pas au juste... je crois que c'était l'un et l'autre ; tantôt l'un, tantôt l'autre. Quand je considère cela maintenant, il me semble que j'ai vécu ici comme un pauvre être... au jour le jour uniquement. J'ai vécu des pirouettes que je faisais pour toi, Torvald. Mais c'était ce que tu voulais, n'est-ce pas ? Toi et papa, vous avez commis un gros péché contre moi. Si je suis une bonne à rien, c'est vous qui en êtes coupables.

HELMER

Nora, tu es absurde et ingrate ! N'as-tu pas été heureuse, ici ?

NORA

Non, je ne l'ai jamais été. Je l'ai cru. Mais je ne l'ai jamais été.

HELMER

Tu n'as pas été heureuse !

NORA

Non. J'ai été joyeuse, voilà tout. Et tu as toujours été si gentil pour moi. Notre foyer n'a jamais été rien d'autre qu'une salle de récréation. Ici, j'ai été ton épouse-poupée, tout comme à la maison j'étais l'enfant-poupée de papa. Et mes enfants, à leur tour, ont été mes poupées. Je trouvais divertissant que tu te mettes à jouer avec moi, tout comme ils trouvent divertissant que je me mette à jouer avec eux. Voilà ce qu'a été notre mariage, Torvald.

HELMER

Il y a quelque chose de vrai dans ce que tu dis… tout exagéré et outré que ce soit. Mais dorénavant, cela changera. Le temps de la récréation est passé, voici maintenant le temps de l'éducation.

NORA

L'éducation de qui ? La mienne ou celle des enfants ?

HELMER

L'une et l'autre, ma Nora bien-aimée.

NORA

Hélas ! Torvald, tu n'es pas homme à m'élever pour faire de moi l'épouse qu'il te faut.

HELMER

Et c'est toi qui dis cela ?

NORA

Et moi… comment suis-je préparée à élever des enfants ?

HELMER

Nora !

NORA

Ne l'as-tu pas dit toi-même il y a un moment... cette mission, tu n'oses pas me la confier.

HELMER

C'était dans un instant d'irritation. Faut-il que tu en tiennes compte maintenant ?

NORA

Si ! c'était fort bien dit de ta part. C'est une tâche au-dessus de mes forces. Il y en a une autre qu'il me faut accomplir d'abord. Il faut que je veille à m'éduquer moi-même. Et cela, tu n'es pas homme à m'y aider. Il faut que je sois seule pour le faire. Et voilà pourquoi, maintenant, je vais te quitter.

HELMER, *se levant d'un bond.*

Qu'est-ce que tu as dit ?

NORA

Il faut que je reste absolument seule si je veux voir clair en moi et en tout ce qui m'entoure. Voilà pourquoi je ne peux pas rester plus longtemps chez toi.

HELMER

Nora, Nora !

NORA

Je veux m'en aller d'ici tout de suite. Kristine m'accueillera sûrement pour cette nuit.

HELMER

Tu es folle !... Tu n'as pas le droit ! Je te l'interdis.

NORA

Il ne sert à rien de m'interdire quoi que ce soit désormais. J'emporte ce qui m'appartient. De toi, je ne veux rien, ni maintenant, ni plus tard.

HELMER

Mais quelle aberration que tout cela !

NORA

Demain, je m'en vais chez moi... je veux dire, dans mon ancienne maison. C'est là qu'il me sera le plus facile de trouver à vivre.

HELMER

Pauvre aveugle, sans expérience.

NORA

Il faut que je veille à acquérir de l'expérience, Torvald.

HELMER

Abandonner ton foyer, ton mari et tes enfants. Et tu ne penses pas à ce que les gens vont dire !

NORA

De ça je ne m'occupe absolument pas. Je sais seulement que, pour moi, c'est indispensable.

HELMER

Oh ! c'est révoltant. Peux-tu trahir ainsi tes devoirs les plus sacrés !

NORA

Que tiens-tu donc pour mes devoirs les plus sacrés ?

HELMER

Ai-je vraiment besoin de te le dire ? Est-ce que ce ne sont pas tes devoirs envers ton mari et tes enfants ?

NORA

J'ai d'autres devoirs tout aussi sacrés.

HELMER

Non, tu n'en as pas. Quels seraient ces devoirs ?

NORA

Mes devoirs envers moi-même.

HELMER

Tu es d'abord et avant tout épouse et mère.

NORA

Cela, je ne le crois plus. Je crois que je suis

d'abord et avant tout un être humain, au même titre que toi… ou, en tout cas, que je dois essayer de le devenir. Je sais bien que la plupart te donneront raison, Torvald, et que l'on trouve des choses de ce genre dans les livres. Mais je ne peux plus me contenter de ce que les gens disent et de ce qu'il y a dans les livres. Il faut que je réfléchisse moi-même à ces choses et que je tâche de voir clair en elles.

HELMER

Quoi ! Tu ne verrais pas clair dans ta situation ici, dans ton propre foyer ? Pour des questions de ce genre, n'as-tu pas un guide infaillible ? N'as-tu pas la religion ?

NORA

Hélas, Torvald, le fait est que je ne sais pas au juste ce qu'est la religion.

HELMER

Qu'est-ce que tu dis là ?

NORA

Je ne sais pas ce que le pasteur Hansen disait quand j'ai fait ma confirmation. Il faisait valoir que la religion était ceci et cela. Quand j'aurai quitté tout ça ici et que je serai seule, j'examinerai cette question comme les autres. Je verrai si ce que le pasteur Hansen disait est exact ou, en tout cas, si c'est exact pour moi.

HELMER

Oh ! entendre une jeune femme dire des choses pareilles, c'est tout de même inouï. Mais si la religion ne peut te mettre sur le droit chemin, laisse-moi tout de même sonder ta conscience. Car tu as quand même un sens moral ? Ou bien, réponds-moi… tu n'en as pas, peut-être ?

NORA

Vois-tu, Torvald, ce n'est pas facile de répondre. En fait, je ne sais pas, tout simplement. Je suis complètement perdue dans tout cela. Je sais seulement que j'ai sur ces choses-là une tout autre opinion que toi. J'apprends aussi que les lois ne sont pas ce que je croyais. Mais que les lois soient justes, je n'arrive pas à me le mettre dans la tête. Ainsi, une femme n'aurait pas le droit d'épargner son vieux père mourant ou de sauver la vie de son mari ! Des choses comme cela, je n'y crois pas.

HELMER

Tu parles comme une enfant. Tu ne comprends rien à la société dans laquelle tu vis.

NORA

Non, je n'y comprends rien. Mais je vais m'y mettre à présent. Il faut que j'arrive à décider qui a raison, de la société ou de moi.

HELMER

Tu es malade, Nora. Tu as la fièvre. Pour un peu, je croirais que tu as perdu la raison.

NORA

Je ne me suis jamais sentie aussi lucide et sûre de moi que cette nuit.

HELMER

Et c'est dans cette lucidité et cette assurance que tu abandonnes ton mari et tes enfants ?

NORA

Oui, en effet.

HELMER

Alors, il n'y a qu'une explication possible.

NORA

Laquelle ?

HELMER

Tu ne m'aimes plus.

NORA

Oui, c'est exactement cela.

HELMER

Nora… et tu oses le dire ?

NORA

Oh ! ça me fait si mal, Torvald. Parce que tu as toujours été si gentil pour moi. Mais je ne peux rien y faire. Je ne t'aime plus.

HELMER, *essayant de rester calme.*

Et cela aussi, c'est une conviction lucide et assurée ?

NORA

Oui, parfaitement lucide et assurée. C'est pour cela que je ne veux plus demeurer ici.

HELMER

Et peux-tu m'expliquer comment j'ai perdu ton amour ?

NORA

Certainement. C'est ce soir, quand le miracle n'est pas venu. J'ai vu alors que tu n'étais pas l'homme que j'avais imaginé.

HELMER

Explique-toi plus précisément, je ne te comprends pas.

NORA

J'ai attendu patiemment huit années durant. Mon Dieu ! je savais bien que le miracle n'arrive pas ainsi, tous les jours. Et puis, cette menace a éclaté au-dessus de moi. Et alors, j'ai eu une certitude absolue : maintenant, le miracle va venir. Pendant que la lettre de Krogstad était là, dans la boîte, il ne m'est pas venu à l'idée un seul instant que tu pourrais te plier aux conditions de cet homme. J'étais tellement certaine que tu lui dirais : « Faites connaître cette affaire au monde entier. » Et quand cela aurait eu lieu...

HELMER

Oui et alors ? Quand j'aurais livré ma propre femme à la honte et au scandale...

NORA

Quand cela aurait eu lieu, je pensais avec une certitude absolue que tu t'avancerais, te chargerais de tout et dirais : « C'est moi, le coupable. »

HELMER

Nora !...

NORA

Tu veux dire que je n'aurais jamais accepté un tel sacrifice ? Non, cela va de soi. Mais qu'auraient valu mes assurances auprès des tiennes ?... Voilà le miracle que j'attendais dans la crainte. Et c'est pour empêcher cela que je voulais mettre fin à mes jours.

HELMER

J'aurais travaillé avec joie nuit et jour pour toi,

Nora... j'aurais tout supporté, privations et soucis, pour l'amour de toi. Mais il n'existe personne qui sacrifie son honneur pour l'être qu'il aime.

NORA

C'est ce que des centaines de milliers de femmes ont fait.

HELMER

Oh ! tu penses et tu parles comme une enfant qui ne comprend rien.

NORA

Soit. Mais toi, tu ne penses pas, tu ne parles pas comme l'homme que je pourrais suivre. Quand ton épouvante a été passée... épouvante, non pour ce qui me menaçait moi, mais pour ce à quoi tu étais toi-même exposé, et quand tout le danger a été passé... alors, tu as tout oublié. Je suis redevenue ta petite alouette, ta poupée que, désormais, tu porterais deux fois plus prudemment dans tes bras, puisqu'elle était si fragile et si délicate. *(Se levant.)* Torvald... à ce moment, l'idée s'est imposée à moi que, pendant huit ans, j'avais vécu ici avec un étranger et que j'avais eu trois enfants... Oh ! je ne supporte pas d'y penser ! Je pourrais me casser en mille morceaux.

HELMER, *accablé.*

Je vois... je vois. Un abîme, assurément, s'est

creusé entre nous… Mais, Nora, ne pourrait-on le combler ?

NORA

Telle que je suis maintenant, je ne suis pas une épouse pour toi.

HELMER

J'ai la force de devenir un autre.

NORA

Peut-être… si on t'enlève ta poupée.

HELMER

Me séparer… me séparer de toi ! Non, non, Nora, je ne peux me faire à cette idée.

NORA, *entrant à droite.*

Raison de plus pour en finir.

Elle revient avec son manteau et un petit sac de voyage qu'elle pose sur la chaise près de la table.

HELMER

Nora, Nora, pas encore ! Attends demain.

NORA, *mettant son manteau.*

Je ne peux pas passer cette nuit sous le toit d'un étranger.

HELMER

Mais alors, ne pouvons-nous continuer de vivre ensemble comme frère et sœur ?...

NORA, *mettant son chapeau.*

Tu sais très bien que ça ne durerait pas longtemps... *(S'enveloppant de son châle.)* Adieu, Torvald. Je ne veux pas voir les petits. Je sais qu'ils sont en de meilleures mains que les miennes. Telle que je suis maintenant, je ne peux pas être une mère pour eux.

HELMER

Mais un jour, Nora... un jour ?

NORA

Comment puis-je le savoir ? Je ne sais absolument pas ce que je deviendrai.

HELMER

Mais tu es ma femme, à la fois telle que tu es et telle que tu deviendras.

NORA

Écoute, Torvald... Quand une femme quitte le domicile conjugal, ainsi que je le fais maintenant, j'ai entendu dire que, selon la loi, le mari est relevé de toutes ses obligations envers elle. Moi, en tout cas, je t'en tiens quitte. Tu ne dois te sentir lié à rien, si peu que ce soit, tout comme moi. Il faut qu'il y ait liberté entière de part et d'autre. Tiens, je te rends ton alliance. Rends-moi la mienne.

HELMER

Cela aussi ?

NORA

Cela aussi !

HELMER

La voici.

NORA

Merci. Maintenant, donc, tout est fini. Je pose les clefs ici. Pour ce qui est de la maison, les bonnes sont au courant de tout, mieux que moi. Demain, quand je serai partie, Kristine viendra ici emballer les affaires qui m'appartiennent et qui viennent de chez moi. Je me les ferai expédier.

HELMER

Fini ! fini ! Nora, tu ne penseras jamais plus à moi ?

NORA

Je penserai sûrement souvent à toi et aux enfants et à la maison.

HELMER

Puis-je t'écrire, Nora ?

NORA

Non… Jamais. Je te le défends.

HELMER

Oh ! mais je pourrai tout de même t'envoyer…

NORA

Rien. Rien.

HELMER

T'aider, si tu en avais besoin.

NORA

Non, te dis-je. Je n'accepte rien des étrangers.

HELMER

Nora… ne serai-je jamais plus pour toi qu'un étranger ?

NORA, *prenant son sac de voyage.*

Ah ! Torvald, il faudrait alors que le miracle suprême se produise…

HELMER

Nomme-le-moi, ce miracle suprême.

NORA

Alors, il faudrait que toi et moi nous nous transformions de telle sorte que… Oh ! Torvald ! Je ne crois plus à aucun miracle.

HELMER

Mais moi, je veux y croire ! Nomme-le ! Nous transformer de telle sorte que…

NORA

… que notre vie commune devienne un vrai mariage. Adieu !

Elle sort par le vestibule.

HELMER *s'effondre sur une chaise près de la porte et se couvre le visage de ses deux mains.*

Nora ! Nora ! *(Il regarde autour de lui et se lève.)* Vide ! Elle est partie ! *(Un espoir perce en lui.)* Le miracle suprême ?…

D'en bas, on entend le fracas d'un portail qui se referme.

DOSSIER

CHRONOLOGIE

(1828-1906)

1828. *20 mars* : Naissance de Henrik Johan Ibsen, à Skien (Norvège méridionale). Il est le fils de Knud Plesner Ibsen et de Marichen (Marken) Cornelia Marie Altenburg, tous deux issus de la bourgeoisie moyenne. Le père d'Ibsen est un riche homme d'affaires, propriétaire d'une entreprise de distillerie. Henrik est le second de six enfants.

1835. Après la faillite de l'entreprise de Knud Ibsen, toute la famille déménage dans la ferme de Venstøp, à Gjerpen.

1844. *3 janvier* : Ibsen part pour Grimstad sur les conseils de son père et avec l'aide d'un ami de la famille pour devenir garçon apothicaire. Il y restera un peu plus de six ans (1844-1850).

1846. Ibsen a une liaison avec une servante de la pharmacie, Else Sofie Jensdatter, qui a dix ans de plus que lui.

9 octobre : De la relation d'Ibsen avec Else naît un enfant, Hans Jakob Henriksen. Les jeunes gens n'ont pas l'intention de se marier. Sur décision des autorités, Ibsen devra verser, durant quatorze ans, une pension alimentaire à Else.

1848. Ibsen travaille à une pièce, *Catilina*, et rédige de nombreux poèmes. La révolution de 1848 en France le marque profondément ; il commence à développer une réflexion de type social, qui aboutira à l'écriture de *La Ligue des jeunes* (1869) et des *Soutiens de la société* (1877).

1849. Ibsen publie ses premiers poèmes : « Résignation » et « Automne ». L'opposition entre la « vocation » et le doute, qui sera le motif central de toute son œuvre, y est déjà présente.
Le Christiania Theater (à Christiania, actuelle Oslo) refuse de jouer *Catilina*, qu'il juge trop classique.

1850. Ibsen est journaliste indépendant et enseigne à l'École du dimanche des Associations ouvrières du mouvement de Markus Thrane, fondateur du socialisme en Norvège.
Pendant l'année, Ibsen édite, avec A. O. Vinje et P. Botten-Hansen, la revue *Andhrimner*, où il publie de nombreux poèmes et rédige des articles de critique théâtrale, visiblement sous l'influence du grand maître danois du genre, J. L. Heiberg. Il écrit également pour le journal *Samfundbladet*, le magazine de l'Union des étudiants, et pratique la peinture. Il réalisera au total une soixantaine de toiles (aquarelles et huiles) parmi lesquelles une majorité de paysages. Il semble qu'il ait cessé de peindre en 1863, sans doute pour faire plaisir à Suzannah, sa future femme, qui voyait d'un mauvais œil cette activité, et pour se consacrer exclusivement à son œuvre dramatique.
12 avril : Sous le pseudonyme de Brynjolf Bjarme, Ibsen publie *Catilina* chez le libraire P. F. Steensballe, à compte d'auteur, grâce aux subsides qu'ont réunis deux de ses amis.
Printemps : Ibsen quitte Grimstad et va s'établir à Christiania pour une année.
Septembre : Reprenant ses études, Ibsen obtient son baccalauréat sous réserves.
26 septembre : Création au Christiania Theater du

Tertre du guerrier (*Kjæmpehøien*), toujours sous le pseudonyme de Brynjolf Bjarme. C'est la première pièce où Ibsen se réclame du romantisme nationaliste.

1851. Ibsen est remarqué par le célèbre violoniste norvégien Ole Bull, qui a fait le tour de la planète pour se faire connaître, lui ainsi que son pays dont il rêve d'imposer le nom au monde entier (Ibsen y fera allusion dans *Peer Gynt*).

Ibsen prend part à de nombreux meetings et manifestations d'ouvriers et d'étudiants.

20 mai : Ibsen assiste à une représentation de la *Norma* de Bellini au Christiania Theater et en fait une critique pour *Andhrimner.* Cet opéra l'inspirera pour l'écriture de *Norma, ou les Amours d'un politicien* (*Norma eller En Politikers Kjærlighed*).

1er et 8 juin : Publication, anonyme, de *Norma, ou les Amours d'un politicien,* dans la revue *Andhrimner*; il s'agit d'une « tragédie musicale » qui préfigure sa pièce *La Ligue des jeunes* (1869).

26 octobre : Ole Bull fait engager Ibsen par le Norske Theater de Bergen, théâtre qu'il a fondé, inauguré officiellement le 2 janvier 1850 ; c'est le premier théâtre en langue norvégienne. Ibsen y est assistant metteur en scène et auteur en titre : il doit écrire une pièce par an, pour la représentation anniversaire de la fondation du théâtre.

1852. *Avril-juin* : Afin de développer sa connaissance des théâtres étrangers, et sur décision du conseil d'administration du théâtre, Ibsen fait un voyage d'études. Il se rend à Copenhague (où il rencontre le Danois Hans Christian Andersen et voit, pour la première fois, jouer Shakespeare, au Kongelige Theater, dirigé par J. L. Heiberg), puis en Allemagne (Berlin, Dresde et Hambourg) pour étudier ce que nous appellerions aujourd'hui la scénographie. C'est en Allemagne qu'il découvre le livre de Hermann Hettner, *Das moderne Drama,* qui vient d'être publié, et où il va

puiser bon nombre de ses règles d'écriture dramatique et de ses principes de composition. Au cours de ce voyage, il écrit *La Nuit de la Saint-Jean* (*Sancthansnatten*), comédie qui s'inspire largement de la pièce de J. L. Heiberg, *Le Jour des sept dormeurs.*
Juin : Revenu à Bergen, Ibsen redouble d'efforts au théâtre : il montera au total plus d'une centaine de pièces.

1853. Pendant l'année, Ibsen tombe amoureux de Rikke Holst, dédicataire de plusieurs de ses poèmes. L'idylle ne durera pas.
2 janvier : Création de *La Nuit de la Saint-Jean* au Norske Theater de Bergen ; c'est un échec. Ibsen refusera de faire publier la pièce de son vivant.
Automne : Ibsen remanie *Le Tertre du guerrier.*

1854. *2 janvier* : Ibsen met en scène au Norske Theater de Bergen la nouvelle version du *Tertre du guerrier*, qui ne remporte aucun succès.
29 janvier-8 février : Publication du *Tertre du guerrier*, remanié sous forme de feuilleton, dans quatre numéros du *Bergenske Blade.*

1855. *Janvier* : Ibsen rencontre Suzannah Thoresen au salon littéraire tenu par Magdalene Thoresen, la belle-mère de la jeune femme, célèbre intellectuelle de la bonne société de Bergen, notamment auteur et traductrice de pièces de théâtre.
2 janvier : Création à Bergen, au Norske Theater, de la première pièce réellement importante d'Ibsen, une tragédie à sujet historique, *Dame Inger d'Østraat* (*Fru Inger til Østraat*), écrite d'après les normes classiques et dictée, quant à la facture, par « la pièce bien faite » selon Eugène Scribe qu'il admirait beaucoup. La pièce ne suscite aucun enthousiasme.

1856. *2 janvier* : Création de *La Fête à Solhaug* (*Gildet på Solhaug*), sorte de féerie inspirée des ballades médiévales, au Norske Theater de Bergen ; la pièce obtient un grand succès.

19 mars : Ibsen publie *La Fête à Solhaug* chez C. Tønsberg, à Christiana, sous son vrai nom, pour la première fois.

Printemps : Après plusieurs entrevues conventionnelles, Ibsen et Suzannah Thoresen se fiancent.

Été : Ibsen fait une très longue excursion à pied dans le Gudbrandsdalen avec son ami P. Botten-Hansen, afin de découvrir les chants et légendes populaires de son pays. On trouvera un écho de cette expérience dans *Peer Gynt.*

1857. *2 janvier* : Création, sans grand succès, au Norske Theater de Bergen d'*Olaf Liljekrans,* texte inspiré des *Ballades populaires norvégiennes* de M. Brostrup Landstad (1853). Cette pièce ne sera jamais publiée en langue norvégienne du vivant d'Ibsen. Les ballades populaires ou *folkeviser* resteront pourtant un riche sujet d'inspiration pour Ibsen.

31 mai-23 août : P. Botten-Hansen fait publier *Dame Inger d'Østraat* dans la revue *Illustreret Nyhedsblad,* sous forme d'un feuilleton en cinq parties.

3 septembre : La Nationale Scene de Bergen (anciennement Norske Theater) souhaite renouveler le contrat d'Ibsen pour un an, mais celui-ci reçoit à la même période une proposition plus intéressante du Christiania Norske Theater, situé dans la Møllergate, qui lui offre un poste de directeur artistique. Le projet est d'autant plus intéressant que ce théâtre joue toutes les pièces en langue norvégienne. Ibsen accepte cette proposition et déménage pour Christiania. Il y restera sept ans.

1858. *25 avril* : Publication des *Guerriers de Helgeland* (*Hærmændene på Helgeland*) sous la forme d'un supplément à l'hebdomadaire littéraire *Illustreret Nyhedsblad.* Pour écrire ce drame, Ibsen s'est directement inspiré des sagas islandaises, notamment de *Völsunga saga* (*La Saga des Völsungar*; XIIIe siècle).

18 juin : Mariage de Henrik Ibsen et de Suzannah Daae Thoresen, à Bergen.

24 novembre : Création au Christiania Norske Theater des *Guerriers de Helgeland.* La pièce connaît un grand succès, bien que le Kongelige Theater de Copenhague ait refusé de la monter pour cause de « crudité ».

1859. Pendant l'année, Ibsen fonde, avec le grand poète romantique Bj. Bjørnson qui lui a succédé à la Nationale Scene de Bergen, la Société norvégienne chargée de développer la diffusion de la culture nationale. Il compose le poème « Sur les hauteurs » (« På Vidderne »), qui sera publié en 1862.

23 décembre : Naissance de Sigurd, l'unique enfant qu'Ibsen aura de Suzannah.

1860. Ibsen demande au gouvernement une bourse de voyage pour aller s'initier aux techniques théâtrales dans les grandes capitales européennes, mais il essuie un refus. Le Christiania Norske Theater subsiste difficilement et met en doute la gestion d'Ibsen. Celui-ci se met à boire, se débauche et doute de sa vocation.

1861. Publication de « Terje Vigen », long poème historico-patriotique.

Ibsen songe à un opéra, *L'Oiseau des montagnes* (*Fjeldfuglen*), inspiré d'*Olaf Liljekrans,* pour lequel il envoie au compositeur M. A. Udbye des fragments de livret.

Mai : La situation ne s'améliore pas : Ibsen est attaqué par la presse et par le comité directeur du Christiania Norske Theater pour manque d'initiative ; il se défend dans une série d'articles, notamment dans la revue *Illustreret Nyhedsblad.*

1862. *Été* : Le Christiania Norske Theater fait faillite, ce qui met Ibsen en disponibilité. Ibsen obtient une bourse de deux mois pour aller collecter des légendes populaires : il se rend à cette fin en Norvège occidentale (Sogn, Nordfjord et Sunmøre).

Fin décembre : Publication dans l'hebdomadaire littéraire *Illustreret Nyhedsblad* de *La Comédie de l'amour* (*Kjærlighetens Komedie*) à titre d'« Étrennes pour la nouvelle année 1863 ». Y est posée en termes kierkegaardiens l'opposition entre une conception « esthétique » et une « éthique » de la vie. L'accueil fait à la pièce est glacial (« une offense à la dignité humaine ») ; Ibsen écrira, huit ans plus tard : « J'étais excommunié. Tout le monde était contre moi. »

1863. Pendant l'année, Ibsen publie le poème « À la Norvège », rebaptisé plus tard « Un frère en détresse », où il stigmatise férocement la veulerie et l'apathie de ses compatriotes face à la guerre des Duchés. Cet événement n'est pas étranger à sa décision de s'exiler. Ses conditions de vie en Norvège le désespèrent. Il fait une nouvelle demande de bourse qui se solde par le versement d'une somme ridicule. Bj. Bjørnson organise une souscription qui permettra à Ibsen de partir pour l'étranger.
Janvier : Ibsen est engagé au Christiania Theater comme conseiller artistique. Malgré cela, sa situation financière ne s'améliore pas ; il doit vendre une partie de ses biens aux enchères. Il demande des subventions ou des bourses de voyages à l'étranger, mais n'obtient que des sommes dérisoires.
Fin octobre : Publication des *Prétendants à la couronne* (*Kongs-emnerne*) chez le libraire Johan Dahl à Christiania.

1864. Ibsen envisage d'écrire une tragédie sur Julien l'Apostat.
17 janvier : Création au Christiania Theater des *Prétendants à la couronne.* La pièce remporte un grand succès.
5 avril : Départ pour Copenhague ; Ibsen ne reviendra en Norvège que vingt-sept ans plus tard. Il obtient une bourse de séjour d'un an à Rome et à Paris pour étudier l'art, l'histoire et la littérature.
Fin avril : Ibsen se rend à Lübeck, puis à Vienne et

atteint, au début de juin, Rome, où le rejoindront sa femme et leur fils, à l'automne. Il est bien déterminé à fustiger la lâcheté de ses compatriotes. Il entend le faire, d'abord, sous la forme d'un poème intitulé « Brand ».

1865. Ibsen fait, en vain, de nouvelles demandes de subventions ou de bourses. Les conditions de vie à Rome sont plus onéreuses qu'en Norvège, et il a du mal à subvenir aux frais de son foyer.

1866. *15 mars* : Publication de *Brand* chez Gyldendal Boghandel à Christiania. *Brand* est un *lesedrama*, un drame destiné à être lu. À travers cette œuvre, Ibsen incarne la conscience morale de son pays. À partir de là, et curieusement, Ibsen va renoncer à son personnage antérieur plus ou moins bohème et devenir l'homme correct et réservé que la tradition gardera en mémoire. Avec le concours de Bj. Bjørnson, Ibsen obtient une pension viagère de poète qui le met à l'abri du besoin pour le reste de sa vie.
Été : La famille Ibsen quitte Rome pour Frascati, dans les monts Albains.

1867. Ibsen visite l'Italie puis va s'installer à Berchtesgaden ; de là, il se rend à Munich, où il se fixe quelque temps.
26 juin : Création du quatrième acte de *Brand* au Christiania Theater.
14 novembre : Publication de *Peer Gynt* chez Gyldendal Boghandel. *Peer Gynt* est un *lesedrama.*

1868. *Fin octobre* : La famille Ibsen s'installe pour sept ans (1868-1875) à Dresde.

1869. *Juin* : Décès de la mère d'Ibsen.
Vers le 20 juillet : Ibsen obtient du gouvernement une bourse afin d'aller étudier l'art et la littérature en Suède. À Stockholm, il est décoré par le roi Charles XV de l'ordre de Gustave Vasa, première d'une série de décorations pour cet homme qui en raffolait.
30 septembre : Ibsen publie chez Gyldendal Boghandel une pièce écrite à Dresde l'année précédente, *La*

Ligue des jeunes (*De Unges Forbund*), une comédie en prose qui marque un tournant dans sa production théâtrale.

18 octobre: Création de *La Ligue des jeunes* au Christiania Theater.

17 novembre: Ibsen est invité à représenter l'union suédo-norvégienne, lors de l'ouverture du canal de Suez, ce qui lui permettra de visiter l'Égypte.

1870. *Octobre*: Après avoir vécu quelque temps à Copenhague, Ibsen revient à Dresde.

1871. Ibsen obtient le Dannebrog, la plus importante décoration danoise.

3 mai: Publication chez Gyldendal Boghandel de l'unique recueil de *Poèmes* (*Digte*) d'Ibsen. À partir de cette date, il renonce à la poésie.

1872. Première traduction en langue étrangère d'une œuvre d'Ibsen, *Brand*, traduit en allemand par P. F. Siebold. Le nom d'Ibsen est mentionné pour la première fois en Angleterre, au sujet de ses poèmes.

1873. Ibsen pense à adapter *Peer Gynt* pour la scène et à mettre l'œuvre en musique. Il fait appel à Edvard Grieg qui mettra près de trois ans à faire aboutir le projet.

À Vienne, Ibsen participe à un jury artistique lors de l'Exposition internationale d'art.

Ibsen est fait chevalier de l'ordre norvégien de Saint-Olav.

16 octobre: Publication chez Gyldendal Boghandel de ce qu'Ibsen a toujours considéré comme son *opus major*, *Empereur et Galiléen* (*Kejser og Galilæer*), en deux parties, *L'Apostasie de César* (*Cæsars frafald*) et *L'Empereur Julien* (*Kejser Julian*).

24 novembre: La création, au Christiania Theater, de *La Comédie de l'amour* est un succès.

1874. *Été*: Pour la première fois depuis dix ans, Ibsen rentre en Norvège, à Christiania, où il fait un séjour

de plus de deux mois. Il est ovationné par les étudiants.
Novembre : Publication de *Dame Inger d'Østraat* chez Gyldendal Boghandel.

1875. Bj. Bjørnson publie ses premiers drames à sujets contemporains, *Une faillite* et *Le Rédacteur.* Ces pièces vont influer sur l'orientation que va prendre dorénavant la production d'Ibsen.
Printemps : Ibsen se fixe à Munich, à cause de l'éducation de son fils.
Fin juillet : Grieg termine la composition de *Peer Gynt.*

1876. Première traduction intégrale, en anglais, d'*Empereur et Galiléen.*
24 février : Création au Christiania Theater de *Peer Gynt,* sur la musique de Grieg.
10 avril : Le Hoftheater de Munich donne une représentation des *Guerriers de Helgeland* ; pour la première fois, une pièce d'Ibsen est jouée hors de Scandinavie.

1877. Ibsen est membre de la société littéraire Le Crocodile, à Munich.
Septembre : Ibsen est fait docteur *honoris causa* à l'occasion du quatre centième anniversaire de l'université d'Uppsala, la plus ancienne université de Scandinavie, en Suède.
4 octobre : Décès du père d'Ibsen.
11 octobre : Publication des *Soutiens de la société* (*Samfundets Støtter*) chez Gyldendal Boghandel.
14 novembre : Création des *Soutiens de la société* à l'Odense Theater (Danemark). La pièce remporte un succès considérable dans tout le Nord ainsi qu'à l'étranger. L'année suivante, en Allemagne, cinq théâtres joueront simultanément le drame. Le théâtre ibsénien trouve sa formule : une violente satire sociale au nom de la vérité et de la liberté.

1878. Ibsen est à Gossensass, en Autriche, puis à Amalfi, en

Italie. Il passe la fin de l'année entre Rome et Munich, et écrit *Une maison de poupée* (*Et dukkehjem*).

1879. *4 décembre* : Publication d'*Une maison de poupée* chez Gyldendal Boghandel.

21 décembre : Création d'*Une maison de poupée* au Kongelige Theater de Copenhague. La pièce soulève immédiatement, et cela pour longtemps, de violentes querelles.

1880. La famille Ibsen décide de se fixer à Rome, afin que Sigurd puisse faire ses études de droit. Ce séjour durera cinq ans (1880-1885). Ibsen entreprend de rédiger une autobiographie : *De Skien à Rome*, qu'il abandonnera au bout de quelques pages.

1881. *3 décembre* : Création de *Catilina* au Nya Teatern de Stockholm.

13 décembre : Publication des *Revenants* (*Gengangere*) chez Gyldendal Boghandel. La pièce déchaîne une forte polémique, en raison de l'audace des sujets traités (les maladies vénériennes, l'inceste et l'euthanasie). Aucun théâtre scandinave n'accepte de jouer cette pièce considérée comme immorale.

1882. *20 mai* : Création des *Revenants* à l'Aurora Turner Hall de Chicago, en langue norvégienne. Ibsen a acquis une notoriété mondiale, mais son succès est surtout assuré hors de Scandinavie. Ainsi, *Une maison de poupée* est jouée sous le titre *The Child Wife*, à l'Opéra de Milwaukee (États-Unis).

28 novembre : Publication d'*Un ennemi du peuple* (*En folkefiende*) chez Gyldendal Boghandel. La pièce, où « la majorité compacte » qui écrase l'individu libre, en dépit du bon sens, est fustigée, déclenche des critiques d'une rare virulence.

1883. *13 janvier* : Création d'*Un ennemi du peuple* au Christiania Theater.

24 octobre : *Les Revenants* est joué en Norvège pour la première fois, au Fredrikshalds Theater (Halden).

1884. *Avril-août* : Rédaction à Rome de *La Cane sauvage*

(*Vildanden*) qu'Ibsen achèvera à Gossensass, à la fin du mois d'août.

11 novembre : Publication de *La Cane sauvage* chez Gyldendal Boghandel, l'un des rares drames d'Ibsen qui ne se déroule pas en milieu bourgeois. S'y fait jour pour la première fois, avec netteté, le thème qui va dominer toute la fin de l'œuvre, celui du doute paralysant.

1885. *9 janvier* : Création de *La Cane sauvage* à la Nationale Scene de Bergen. La pièce sera jouée deux jours plus tard au Christiania Theater.

Juin : Ibsen se rend, pour la première fois depuis onze ans, en Norvège. Il parcourt Christiania, Trondheim, Molde et Bergen. Malgré son exil, il continue d'observer cette société norvégienne de l'époque qui le fascine.

Octobre : Ibsen retourne à Munich où il demeurera jusqu'en 1891. Son fils Sigurd est nommé attaché d'ambassade à Washington.

1886. *23 novembre* : Publication de *Rosmersholm* chez Gyldendal Boghandel. Beaucoup s'accordent à tenir cette pièce pour le chef-d'œuvre d'Ibsen.

1887. Ibsen voyage dans le Jutland, à Göteborg, Christiania, Stockholm et Copenhague.

17 janvier : Création de *Rosmersholm* à la Nationale Scene de Bergen.

1888. *28 novembre* : Publication de *La Dame de la mer* (*Fruen fra havet*) chez Gyldendal Boghandel.

1889. Premières traductions françaises des *Revenants* et d'*Une maison de poupée* par le comte Moritz Prozor.

12 février : Création de *La Dame de la mer* au Christiania Theater.

Juillet : Ibsen rencontre Helene Raff et Emilie Bardach, à Gossensass, lors de l'inauguration d'une place portant son nom, l'Ibsensplatz.

1890. *Novembre* : Publication à Londres, chez Walter Scott,

des *Œuvres complètes* (4 volumes) d'Ibsen, traduites en anglais par William Archer.
16 décembre : Publication de *Hedda Gabler* chez Gyldendal Boghandel.

1891. *31 janvier* : Création de *Hedda Gabler* au Königliches Residenz-Theater de Munich.
Été : Ibsen est en Norvège ; il se rend au cap Nord et décide de se réinstaller à Christiania.
Septembre : Les Ibsen emménagent à Victoria Terrasse, à Christiania ; ils ne quitteront plus le pays.

1892. *5 juin* : Mort de Hans Jakob Henriksen, le fils illégitime d'Ibsen.
11 octobre : Sigurd Ibsen épouse Bergljot Bjørnson, la fille de l'écrivain, ami et rival d'Ibsen, Bj. Bjørnson.
12 décembre : Publication de *Solness le constructeur* (*Bygmester Solness*) chez Gyldendal Boghandel.

1893. Naissance du premier petit-fils d'Ibsen, Tancred.
Les pièces d'Ibsen sont jouées en Allemagne, en Norvège, et à Paris où le succès des Scandinaves est assuré.
Janvier : Création de *Solness le constructeur* au Lessing-Theater de Berlin ; la pièce sera jouée à Christiania en mars.

1894. *11 décembre* : Publication du drame conjugal *Petit Eyolf* (*Lille Eyolf*) chez Gyldendal Boghandel.

1895. *12 janvier* : Création de *Petit Eyolf* au Deutsches Theater de Berlin ; la première norvégienne a lieu trois jours plus tard au Christiania Theater.
21 juin : À Christiania, les Ibsen s'installent dans leur dernier appartement, à Arbiensgate. Ibsen y vit avec une régularité d'horloge et entre, vivant, dans la légende.

1896. *5 décembre* : Création d'une version remaniée d'*Empereur et Galiléen* au Stadttheater de Leipzig.
15 décembre : Publication de *John Gabriel Borkman* chez Gyldendal Boghandel.

1897. *10 janvier* : Création de *John Gabriel Borkman* à Helsinki dans deux théâtres simultanément, l'un finnois, l'autre suédois ; puis la pièce est jouée dans diverses villes norvégiennes, suédoises et danoises, et à l'étranger.

1898. *Mars-avril* : Pour ses soixante-dix ans, Ibsen est l'objet de nombreuses manifestations, partout dans le monde. À Christiania et à Berlin, on lance des éditions complètes de ses œuvres. Les représentations de ses pièces se multiplient.

1899. Deux statues, l'une d'Ibsen, l'autre de Bj. Bjørnson, sont inaugurées devant le Christiania Theater.
Fin de l'été : Sigurd Ibsen est nommé directeur des Affaires étrangères norvégiennes.
22 décembre : Publication chez Gyldendal Boghandel de *Quand nous ressusciterons* (*Når vi døde vågner*), la dernière pièce d'Ibsen, sous-titrée « épilogue dramatique ».

1900. *26 janvier* : Création de *Quand nous ressusciterons* au Hoftheater de Stuttgart. La pièce sera jouée à Christiania, Copenhague, Stockholm, Francfort, Leipzig, Zurich, Milan et Moscou.
Mars : Ibsen subit sa première attaque d'apoplexie. Il n'est, dès lors, plus capable d'écrire.

1901. Naissance du second petit-fils d'Ibsen.
Juin : Deuxième attaque.

1904. Édition de la correspondance d'Ibsen, chez Gyldendal Boghandel.

1905. Sigurd Ibsen est nommé Premier ministre en Norvège.

1906. *23 mai* : Mort d'Ibsen, à Christiania. Cette année-là, plus de neuf cents représentations de ses pièces ont lieu dans le monde. Le soir de ses funérailles, le Nationaltheatret de Christiania donne une représentation de *Peer Gynt*.

NOTICE

Publication

Une maison de poupée, rédigée en 1878, a été achevée à Rome, en août 1879, et publiée le 4 décembre de la même année, chez Gyldendal Boghandel, à Copenhague. La première édition fut tirée à 8 000 exemplaires, chiffre considérable pour l'époque et le lieu. Il y eut deux réimpressions en trois mois. Le succès fut foudroyant dans toute l'Europe. La pièce fut publiée au Danemark, en Allemagne et en Finlande, en 1880 ; en Angleterre et en Pologne, en 1882 ; en Russie, en 1883 ; en Italie, en 1884.

Traductions

Les traductions françaises d'*Une maison de poupée* ont été très nombreuses bien que venant après les traductions allemandes (1880) puis anglaises (1882) ; une version espagnole verra le jour en 1913.

La première traduction française, en 1889, était due au comte Moritz Prozor avec une préface d'Edouard Rod (A. Savine). Vinrent ensuite celles de Léon Vanderkindere (*Nora*, Bruxelles, P. Weissenbruch, 1889), d'Albert Savine (Stock, 1906), de P. G. La Chesnais (dans Ibsen, *Œuvres complètes,* Plon, t. XI, 1939), de Geneviève Lézy et Claude Santelli (Arles, Actes Sud, 1987), de Régis Boyer (Éditions du Porte-Glaive, 1988, rééd. Flammarion, coll. « Garnier-Flammarion », 1994), de Marc Auchet (Le Livre de Poche, 1990), de Terje Sinding (Henrik Ibsen, *Les Douze Dernières Pièces,* Imprimerie nationale, t. I, 1990), et de Régis Boyer (Ibsen, *Théâtre,* Gallimard, Bibliothèque de la Pléiade, 2006, où *Une maison de poupée* figure pp. 819-897). C'est cette dernière traduction que reprend la présente édition.

On notera aussi l'adaptation en bande dessinée de Cinzia Ghigliano (Des Femmes, 1978).

NOTES D'IBSEN
À PROPOS DE LA PIÈCE

Au moment de la composition d'*Une maison de poupée*, Ibsen rédigea à Rome, en septembre 1878, les « Notes pour une tragédie contemporaine », dont nous donnons ici quelques extraits[1] :

Rome, 19 septembre 1878.

Il existe deux sortes de lois spirituelles, deux sortes de conscience, l'une existe dans l'homme, l'autre — un tout autre esprit — dans la femme. Elles ne se comprennent pas ; mais dans la vie pratique, la femme est jugée selon la loi de l'homme.

À la fin de la pièce, l'épouse ne sait pas du tout où elle en est ; le sentiment naturel d'un côté, l'autorité de l'autre réussissent à la désorienter complètement.

Une femme ne peut pas être elle-même dans la société d'aujourd'hui, qui est une société exclusivement masculine, avec des lois rédigées par des hommes et avec des procureurs et des juges qui jugent le comportement féminin en se plaçant du point de vue de l'homme.

Elle a commis un faux, ce dont elle est fière, car elle a agi

1. Nous sommes ici grandement redevable à Maurice Gravier, auteur de *Ibsen*, Seghers, coll. « Théâtre de tous les temps », 1973.

par amour pour son mari, pour lui sauver la vie. Mais ce mari, fidèle à l'honnêteté de la vie quotidienne, se tient sur le terrain de la légalité et il examine l'affaire d'un œil masculin.

Drame intérieur. Tyrannisée et troublée par la foi en l'autorité, elle perd la foi en son droit moral et en son aptitude à éduquer ses enfants. Dans la société d'aujourd'hui, la femme s'étiole et se meurt, comme font certains insectes, une fois qu'elle a rempli son devoir pour la propagation de l'espèce. Amour de la vie, amour de son mari et de ses enfants. De temps à autre rudement secouée par ses réflexions. Brusques poussées d'angoisse et de terreur. Elle doit tout supporter toute seule. La catastrophe s'approche inexorablement, inéluctablement. Désespoir, lutte et perdition.

[Note en marge]

Krogstad a agi contre les lois de l'honneur. Il a néanmoins acquis une certaine aisance. Mais le bien-être matériel ne le satisfait pas, s'il ne peut reconquérir son honneur.

Distribution :
Stensborg, sous-chef de bureau dans un ministère.
Nora, sa femme.
Mademoiselle (corrigé : Madame) Lind (ajouté : veuve).
Karen, bonne d'enfants chez les Stensborg.
La femme de chambre de cette famille.
Un commissionnaire en ville.
Les trois petits enfants des Stensborg.
Le docteur Rank.

MISES EN SCÈNE

Principales représentations de la pièce

Une maison de poupée fut créée, le 21 décembre 1879, au Kongelige Theater de Copenhague. La première norvégienne eut lieu le 20 janvier 1880 au Christiana Theater puis à la Nationale Scene de Bergen, le 30 janvier, avec l'actrice danoise Betty Hennings dans le rôle de Nora. La pièce fut jouée la même année au Dramaten de Stockholm, au Königliches Residenz-Theater de Munich et au Stora Teatern de Göteborg (Suède) ; en 1882, à l'Opéra de Milwaukee, aux États Unis (sous le titre *The Child Wife*) ; en 1890 et 1892, à Saint-Pétersbourg (l'actrice italienne Eleonora Duse, puis l'actrice allemande Agnes Sorma incarnaient Nora).

Nous avons évoqué dans la préface l'effet de scandale que déclencha la scène finale d'*Une maison de poupée.* En Angleterre, par exemple, elle fut d'abord interdite par Lord Chamberlain et, en Allemagne, comme nous l'avons dit dans la Préface, la grande actrice Hedwig Niemann-Raabe avait exigé d'Ibsen, qui s'exécuta, une modification de la fin qui faisait que Nora regagnait la maison familiale.

La première représentation en langue française de cette pièce eut lieu en Belgique, au théâtre du Parc de Bruxelles, le 1er mars 1889. En France, elle fut jouée à Paris, d'abord à titre privé, dans le salon de Mme Aubernon, en 1892, puis, publiquement, au théâtre du Vaudeville, le 20 avril 1894, avec Réjane dans le rôle de Nora, ce qui, chose fort rare, déchaîna l'enthousiasme d'Ibsen qui était tellement content qu'il envoya un télégramme de satisfaction à l'actrice : « Mon rêve est réalisé, Réjane a créé Nora à Paris. »

En 1903, la pièce est jouée à Paris, au théâtre de l'Œuvre, dans une mise en scène d'Aurélien Lugné-Poe (à qui l'on devait la création de *Pelléas et Mélisande* de Maeterlinck, en 1893).

Georges Pitoëff, membre du célèbre Cartel (avec Louis Jouvet, Charles Dullin et Gaston Baty) et inspiré par les réalisations de Lugné-Poe, reprend *Une maison de poupée* au théâtre de l'Œuvre, en 1930, puis, en 1936, au théâtre des Mathurins. Nora est jouée par Ludmilla Pitoëff, son épouse.

En 1952, Jean Mercure met en scène la pièce à la comédie Caumartin, avec Danièle Delorme : cette interprétation fera date.

Parmi les innombrables autres mises en scène, nous signalerons les suivantes, parmi les plus récentes :

— celle de Deborah Warner, à l'Odéon-Théâtre de l'Europe, en 1997, avec Dominique Blanc dans le rôle principal qui lui valut le César de la meilleure comédienne[1] ;

— celle de Thomas Ostermeier, au festival d'Avignon, en 2004, avec Agnès Lampkin ;

— celle de Stéphane Braunschweig, au théâtre de la Colline, en 2009-2010, avec Chloé Réjon ;

— celle de Jean-Louis Martinelli, au théâtre des Amandiers de Nanterre, en 2010, avec Marina Foïs ;

— celle de Michel Fau, au théâtre de la Madeleine, la même année, avec Audrey Tautou ;

— celle aussi de Nils Ohlund, au théâtre de l'Athénée-Louis Jouvet, toujours en 2010, avec Olivia Brunaux…

1. On lira plus loin dans la partie des Témoignages et documents (p. 277) l'article de Laurence Liban à propos de cette mise en scène.

Principales adaptations cinématographiques

— *A Doll's House,* film américain de Maurice Tourneur (cinéaste français ayant fait une partie de sa carrière aux États-Unis), avec Elsie Ferguson (Nora), 1918 ;

— *A Doll's House,* film américain de Charles Bryant, avec Alla Nazimova (Nora), 1922 ;

— *Casa de Muñecas,* film argentin d'Ernesto Arancibia, avec Delia Garcés (Nora), 1943 ;

— *A Doll's House,* téléfilm américain de George Schaeffer, avec Julie Harris (Nora), 1959 ;

— *Maison de poupée,* film franco-britannique de Joseph Losey avec Jane Fonda (Nora) et Delphine Seyrig (Kristine), 1973 ;

— *Nora Helmer,* téléfilm allemand de R. W. Fassbinder, avec Margit Carstensen (Nora), 1974 ;

— *A Doll's House,* téléfilm britannique de David Thacker, avec Juliet Stevenson (Nora), 1992 ;

— *Sara,* film iranien de Dariush Mehrjui, avec Niki Karimi (Sara, qui remplace ici le nom de Nora), 1993.

Réflexions sur la mise en scène
*d'*Une maison de poupée

Proposer un historique des mises en scène ou interprétations d'*Une maison de poupée* tient de la gageure : aucune pièce d'Ibsen, *Peer Gynt* compris (en dépit de la version musicale due à Edvard Grieg), n'aura été aussi fréquemment jouée, adaptée, filmée — et, bien entendu, commentée, pliée aux goûts du jour, transformée pour faire droit aux opinions du metteur en scène du moment —, ce qui fait qu'en un sens il est assez commode de suivre l'évolution de ces mises en scène parce qu'elles reflètent fidèlement les tendances de la critique et de l'art dramatique des cent dernières années[1]. On sait bien que l'un des critères majeurs de la qualité d'une œuvre est sa plasticité, propre à traduire les élans ou les passions d'une époque donnée : voilà pourquoi il nous est souvent arrivé d'affirmer qu'Ibsen était sans doute le seul ou, en tout cas, le plus grand classique du Nord. Car il est, sans conteste, non seulement le plus joué de tous les dramaturges scandinaves mais aussi le plus plastique : il s'adapte comme sans effort aux modes de l'heure, il semble comme inextricablement lié aux tendances de l'actualité, on peut lui conférer toutes les étiquettes que l'on voudra, selon les vogues du moment : il demeure.

Cette médaille a bien entendu son revers car *Une maison de poupée* pose de redoutables problèmes aux metteurs en scène, ne serait-ce que parce que la pensée d'Ibsen n'est jamais acquise, qu'une redoutable équivoque la gouverne, d'autant que l'auteur lui-même ne s'est jamais exprimé sans ambages sur le sujet : il lui est arrivé de dire ce qu'il n'avait pas voulu faire, non ce qu'il entendait défendre. C'est au demeurant la raison probable pour laquelle la « bonne » critique de l'époque a cru se tirer d'affaire en proférant les pires absurdités. Ainsi, en accusant le dramaturge d'avoir voulu démolir ce que l'on était convenu d'appeler la « pièce bien faite », sur le modèle d'Eugène Scribe, lequel a joui dans le Nord d'un prestige difficilement imaginable aujourd'hui. Or, Søren Kierkegaard lui vouait une véritable passion et tant Ibsen que Strindberg ont reconnu leur dette envers le Français. Il s'agissait de facture, bien entendu, plus que de thématique profonde mais, là encore, Ibsen était accusé de violer les règles élémentaires de la composition. Opinion difficile à soutenir — surtout aujourd'hui où nous admirons à quel point ces pièces sont de parfaites mécaniques montées comme des mouvements d'horlogerie — mais qui provenait d'évidence de cette

1. On pourra consulter aussi les *Cahiers Renaud-Barrault* (édités par Gallimard) à propos de certaines représentations de la pièce.

sorte de désarroi dans lequel se trouvait la critique. Et cette ambiguïté, cette plasticité se sont révélées dès le début.

Lorsque Réjane créa la pièce en France, en 1894, suscitant, nous l'avons vu, l'enthousiasme d'Ibsen, elle joua le rôle de Nora selon les normes réalistes en vigueur à l'époque, avec une sensibilité, un sens du pathétique que disent tous les contemporains et qui ont fait sa gloire. À ce titre, son influence sur le Théâtre-Libre d'Antoine, partant, sur une vue naturaliste de l'art dramatique ne peut être négligée. Mais notons bien que nous sommes en 1894. Le vaudeville est de rigueur avec ses éléments classés (reconnaissance de dettes, réconciliations amoureuses, lettres recommandées, tendance appuyée au mélodrame, etc.), tous éléments qui figurent, serait-ce à des degrés divers, dans *Une maison de poupée*: décors bien bourgeois, fanfreluches, bijoux et clinquant, références constantes à l'univers étriqué de la petite bourgeoise férue de macarons, ravie de se voir comparée à un écureuil ou à une alouette, tableaux idylliques avec arbre de Noël et petits enfants, exotisme de pacotille (la scène de la tarentelle), etc. Nous sommes en plein réalisme, comme le dit l'écrivain et journaliste danois Herman Bang dans l'extrait que nous donnons plus loin (Témoignages et documents, p. 269), à propos de la comédienne Réjane justement.

Ce que l'on aura souvent voulu voir dans *Une maison de poupée*, c'est un vibrant plaidoyer pour le féminisme. Maurice Gravier, lui-même, auteur, il est vrai, d'une longue étude sur le féminisme et l'amour dans les lettres norvégiennes (1988), défend cette thèse dans l'excellent petit livre qu'il a écrit sur Ibsen (Seghers, 1973). Sans doute, l'époque où la pièce vit le jour était-elle au féminisme militant et nous savons la fortune que ce mouvement connaîtra dans le Nord, jusqu'à nos jours. On devrait prendre garde au fait que le féminisme fut notoirement le thème des ouvrages d'une romancière norvégienne que nous avons déjà évoquée dans notre préface et qui fut contemporaine d'Ibsen, Camilla Collett, et que ce serait plutôt de ce côté-là qu'il faudrait chercher des mots d'ordre qui, en en aucun cas, soulignons le fait avec force, ne furent le fait d'Ibsen. On lira plus loin (Témoignages et documents, p. 274) la note sur le féminisme d'Ibsen due à Hans Heiberg (1904-1978), auteur et journaliste norvégien. Mais qu'importe ! Innombrables seront les metteurs en scène qui présenteront des femmes-enfants évoluant dans un décor feutré jusqu'au moment où la conscience leur viendra tout soudain de leur vraie nature, de leur vocation immémoriale. On découvrira également, un peu plus loin (Témoignages et documents, p. 271), ce que l'écrivain norvégien Gunnar Heiberg (1857-1929) pense de la manière dont l'actrice allemande Agnes Sorma incarne le personnage de Nora : il a cette étonnante et pertinente image lorsqu'il dit qu'elle arrive à la « puberté morale » et c'est bien ce genre d'évolution intérieure que la plupart des metteurs en scène s'efforceront de traquer derrière la fragile apparence de leur petite actrice. Car nous n'en sortons pas : Nora est par définition une femme-enfant, nous ne l'imaginons simplement pas grande, forte et autoritaire. Voici ce que disait, en 2006, Brit Bildøen, romancière, critique et éditrice norvégienne, à qui l'on demanda de rédiger une postface à *Une maison de poupée*[1] : la pièce « a eu plus d'une chose à dire à l'action politique la plus importante des cent dernières années : le mouvement de libération des femmes. La rébellion qu'entreprend Nora contre un homme qui n'a jamais su la considérer comme un être humain, la place minimale que l'ordre social a constamment réservée aux femmes, voici autant de motifs devenus d'une valeur symbolique considérable[2] ». Et notons bien que, en dépit de toutes les théories successives, l'actrice qui joue le rôle de Nora est, d'une part, souvent sédui-

1. Voir aussi à ce sujet, *infra*, dans la partie des Témoignages et documents, p. 275.

2. Dans *Paroles d'auteurs norvégiens sur l'œuvre d'Ibsen*, trad. Jean Baptiste Coursaud, Oslo, Ministère des Affaires étrangères et Gyldendal, 2006, p. 27.

sante par sa féminité même, d'autre part, sauf exceptions rares, joue, au moins jusqu'à la conclusion de la pièce à « faire la femme » selon l'imagerie populaire : une scène comme celle où Nora demande de l'argent à son mari (nous savons, nous, que c'est pour payer sa dette à Krogstad, mais cette intelligence au second degré entre précisément dans l'équivoque typique de l'auteur) est sortie de nos mœurs il n'y a vraiment pas bien longtemps. Il est vrai que si cette pièce a connu un étonnant succès en Chine, à partir de 1940, et pendant une bonne décennie ensuite, c'est parce que les communistes de ce pays voyaient en elle une illustration des excès du système social occidental. Il reste que Michel Meyer affirme qu'*Une maison de poupée* est « la plus féministe, sans doute, des pièces les plus célèbres d'Ibsen[1] ». Nous nous sommes efforcé de battre en brèche cette opinion, comme on a pu le lire dans notre préface, mais notre vue des choses ne tombe pas nécessairement sous le sens des réalisateurs tant l'on tient à voir dans la révolte de la petite Nora la manifestation d'un mouvement qui n'a rien perdu de son acuité, tant s'en faut. Osons dire que cette interprétation de la pièce reste majoritairement dominante : nous pensons, dans la mise en scène que proposait Michel Fau, en 2010, au costume d'Audrey Tautou, en Nora : une robe étroitement lacée et soulignée par des rubans enserrant le corps de l'actrice selon une symbolique transparente.

La fin du XIXe siècle, en matière de théâtre, a vu naître le symbolisme qui devait connaître le renom que nous savons. On lira plus bas, dans la partie des Témoignages et documents (p. 272), les propos de William Archer (1856-1924), très grand critique et divulgateur d'Ibsen en Grande-Bretagne. Il est clair que la « bonne » critique de ce temps-là a tenu à voir dans *Une maison de poupée* un morceau digne de ce qui se faisait chez un Maeterlinck, par exemple. Cela

1. *Drames contemporains* d'Ibsen, Michel Meyer, éd., « La Pochothèque », Le Livre de Poche, 2005, p. 184.

nous paraît difficile à soutenir, aujourd'hui, et nous avons avancé, dans notre Préface, que si l'on ne pouvait faire de la pièce un drame symboliste, il n'était pas interdit d'y voir une pièce symbolique.

Les Pitoëff seront les premiers à tenter de rénover ce type de mise en scène stéréotypée. Nous avons dit plus haut que Georges Pitoëff faisait partie du célèbre Cartel appliqué à rompre avec les habitudes scéniques figées par la tradition. Mais au théâtre de l'Œuvre, où les Pitoëff reprirent la pièce en 1930, sous la houlette de Lugné-Poe, ils subissaient l'influence de Herman Bang (dont on lira plus loin, dans Témoignages et documents, p. 269, la réaction face à l'actrice Réjane) qui était convaincu que l'avenir théâtral était au symbolisme. Il convient pourtant de remarquer que Réjane n'avait pas donné dans les maniérismes symbolistes : la mode et l'usage étant au vaudeville, avec sa vision légère des faits et la complication de son intrigue, c'est de cette manière qu'*Une maison de poupée* a été jouée longtemps et il n'est donc pas surprenant que les acteurs soient passés à côté de la problématique profonde de ce chef-d'œuvre. Il faut dire encore que les pièces d'Ibsen étaient desservies par les traductions approximatives du comte Maurice Prozor. Ce dernier, aristocrate et diplomate lituanien, mais passionné de la chose scandinave, maîtrisait plutôt mal le norvégien, de sorte que le texte qu'avaient à dire les acteurs français souffrait, comme le disait fort bien Lugné-Poe, de ces « longues phrases », de ce « romantisme brumeux », de ce « ton de mélopée » avec lesquels il était de bon ton de jouer ces pièces, sans parler de la manière de transformer les personnages en « fantoches plus ou moins vivants ». Cela n'est pas caractéristique de la manière de jouer Ibsen, à l'époque : c'est tout le théâtre qui souffrait de cette déformation et l'on devine bien que les trop célèbres « brumes du Nord » avaient tout à y gagner. La mise en scène du théâtre d'Ibsen sera donc, pendant deux ou trois décennies, de ce type : décors conventionnels, au demeurant plus ou moins noyés dans un flou symbolique derrière des rideaux de gaze, scansion de mélopée, personnages comme stylisés ou, du moins, figés dans des postures hiératiques, diction proche de la déclamation, etc. Pourtant, Lugné-Poe était allé à Christiania (Oslo) voir jouer les pièces d'Ibsen (mais pas *Une maison de poupée*) ; il avait fait représenter d'autres pièces devant l'écrivain lui-même qui avait bien voulu dire : « Les comédiens français sont plus aptes que d'autres à jouer mes pièces : un auteur de passion doit être joué avec passion, pas autrement. » Georges Pitoëff, inspiré par les réalisations de Lugné-Poe, reprendra donc, nous l'avons dit, *Une maison de poupée* en 1930 au théâtre de l'Œuvre, puis, en 1936, au théâtre des Mathurins. Nora était incarnée par Ludmilla Pitoëff qui convenait admirablement, physiquement d'abord, à l'expression de l'alouette de Helmer : petite, des gestes de marionnette, un front large, lisse et blanc, d'immenses yeux noirs, transfigurée par une manière de foi. Mise en scène mémorable : les décors étaient réduits à l'extrême, ramenés à quelques praticables gris ; les acteurs entendaient établir une sorte de pacte mystique avec le public, sans compter, c'est le propre de ce théâtre et l'on est fondé à s'étonner qu'il n'ait pas fait davantage école, la sensibilité extrême à la poésie des mots : il vaut la peine d'insister ici. La langue norvégienne est d'une subtile musicalité, Ibsen qui, nous l'avons dit dans la préface (p. 15), était également poète, jouait en virtuose sur ses possibilités et une restitution fidèle de son art implique un respect docile de cette composante. De plus, le sens pictural de Lugné-Poe, dont s'inspirait Pitoëff, est bien connu et les décors qu'il proposait, réduits au strict minimum, entendaient posséder un grand pouvoir de suggestion : ainsi, un large ruban bleu tendu en travers de la scène était censé représenter la mer ou l'océan. Nous osons dire que ce genre de transmission a quelque chose d'exemplaire et que, fort probablement, il exprime le mieux l'essence même de cette inspiration.

Reste la vision réaliste, voire naturaliste qu'il est arrivé que l'on donne de ce chef-d'œuvre. Et ici, deux remarques s'imposent.

La première est qu'Ibsen n'a jamais décrit, dans ses drames dits sociaux, donc après *Empereur et Galiléen,* que le seul milieu qu'il connût, celui du petit-bourgeois bien-pensant qu'incarne parfaitement ici Helmer. Avec ses valeurs d'argent, de confort, de respectabilité, de terreur du regard d'autrui s'il n'est pas favorable — donc de peur du scandale et, en tout état de cause, de fétichisme du qu'en-dira-t-on. Nous ne sommes pas certain qu'il faille emboîter le pas à Bernard Shaw quand, dans son célèbre essai *La Quintessence de l'ibsénisme* (1891), il considère qu'*Une maison de poupée* est toute de critique sociale et que c'est cette aperception des choses qui justifie et provoque le progrès. Non qu'Ibsen ne se soit pas intéressé, un temps au moins, dans sa jeunesse, à la politique, mais nous avons dit que ses préoccupations dépassaient considérablement ce propos trop simple. Nora ne se révolte pas contre la société bourgeoise, et des interprétations comme celle d'Audrey Tautou (en 2010, au théâtre de la Madeleine, sous l'égide de Michel Fau), quelles que soient les qualités de cette actrice par ailleurs, interprétations que l'on pourrait prendre pour autant de refus du contexte ambiant, ne paraissent pas, selon nous, se situer dans la ligne de l'inspiration de l'auteur. On peut, si on le veut, s'en tenir au décor bien bourgeois, avec ses meubles cossus, ses acteurs guindés et figés à l'intérieur du personnage qu'ils sont censés incarner (mais le metteur en scène, une fois encore, doit prendre garde au docteur Rank qui est « en marge » et il faut savoir si cette marge-là, elle, est authentique ou si, au contraire, elle fait éclater une sorte de filigrane qui peut-être serait le fond même de la pièce). Ce n'est pas *Une maison de poupée* qui peut, ici, nous servir d'incitateur car Émile Zola a considéré que le théâtre d'Ibsen ouvrait la voie au naturalisme dramatique à partir des *Revenants* mais il est patent que toute la production du Norvégien pouvait et devait, à ses yeux, tendre dans ce sens. Respect absolu du texte, personnages stéréotypés tant dans leur costume que dans leur comportement et leur diction même, décors du drame bourgeois par excellence, conduite de l'intrigue selon les normes fixées par une longue tradition — a contrario, refus de toute innovation révolutionnaire, Nora réduite à une bonne petite bourgeoise d'abord soumise, Helmer, héros de justice et de respectabilité, puis scandale de la conduite de l'héroïne, sympathie avec le désarroi du héros et partage de la conscience de son hébétude, bref, souhait de ne pas sortir de l'univers banal, classé, institutionnalisé par des décennies de drame romantique ou populaire : voilà comment il aurait fallu jouer Ibsen et bon nombre de metteurs en scène n'y ont pas manqué. Mais le moins que l'on puisse dire est qu'ils ne s'inscrivaient pas dans la problématique de la modernité.

La deuxième remarque a déjà été avancée dans notre préface : il importe de tenir compte de l'atmosphère morale, religieuse, spirituelle en tout cas, qui régnait dans cette Scandinavie de la deuxième moitié du XIXe siècle où vécut Ibsen et que l'on qualifiera d'un mot : puritaine. Il nous est assez difficile d'imaginer cette ambiance, dont ou pourra prendre la mesure dans l'œuvre de celui qui fut sans conteste le maître à penser de tous ses contemporains scandinaves, le Danois Søren Kierkegaard ; nous avons déjà suggéré que c'est sans doute pour échapper à cet étouffement qu'Ibsen rédigea son œuvre, sans parler de son long exil dans un pays, l'Italie, où ne sévissait pas ce type de contrainte. Et certes, ce carcan accablant peut expliquer les réactions de Nora. Il y aurait d'ailleurs la même chose à dire de ce vaste mouvement qui s'est emparé de toute la Scandinavie à partir de 1870 et auquel on a coutume de donner le nom de « percée moderne » (*det moderne gennembrud*), mouvement qui a opéré une manière de libération des esprits et des inspirations et suscité la vocation littéraire de tout ce que le Nord aura compté d'écrivains de premier ordre à partir de ce moment-là, Ibsen compris. Puritanisme qu'un Stéphane Braunschweig a admirablement saisi en mettant en scène comme il l'a fait *Brand* (théâtre de Strasbourg, 2005), mais qui ne peut qu'en seconde lecture s'appliquer dans ce sens, à la façon dont il a dirigé Chloé Réjon dans *Une maison de poupée* (théâtre de la Colline, 2009-2010). En fait, nous nous sommes efforcé de le montrer, et nous allons y revenir rapidement, ce n'est certainement pas à cette hauteur « métaphysique » que Nora respire. Qu'il y ait chez elle un refus des conventions sociales écrasantes, des dictats moraux ou religieux étouffants, qui en douterait ? Mais cela ne saurait justifier ni une sensualité révoltée ni une prise de distance. Joseph Losey, qui tourne, en 1973, le film *A Doll's House* où il confie le rôle de Nora à Jane Fonda et celui de Kristine Linde à Delphine Seyrig, revient à juste titre à un rendu classique (entendons, qui ne doit rien à la mode de l'heure) mais retourne gravement aux problèmes fondamentaux que nous avons soulignés à la fin de notre préface. C'est d'ailleurs aussi ce qu'avait compris et senti Jean Mercure en faisant jouer Danièle Delorme à la comédie Caumartin, en 1952 : prestation mémorable qui, peut-être, se situe le plus près possible de l'inspiration ibsénienne. Nous ne savons si le metteur en scène ou l'actrice savaient que la devise, en quelque sorte, de Peer Gynt (le personnage) est *Vær deg selv nok*, approximativement : « Sois toi-même et cela suffit » (ou : « qu'il te suffise d'être toi-même »), formule qu'Ibsen n'a pas inventée, car elle figure plusieurs fois chez Kierkegaard. Les meilleures mises en scène d'*Une maison de poupée* sont celles qui font le moins de concessions possibles à l'actualité littéraire ou sociale ou idéologique. Dans son dépouillement, sa candeur sincère, sa démarche comme hiératique, Danièle Delorme est allée à l'esprit, tout simplement. Ce qui revient à dire aussi que cette pièce appartient à la catégorie dite pièces d'acteur(s) — façon de justifier que, assez souvent, ce drame n'est pas intitulé *Une maison de poupée*, mais *Nora*, tout simplement. Pour les décors, puisque l'on attend du spectateur que son attention se concentre sur l'actrice principale, ils peuvent fort bien n'avoir de valeur que secondaire et se charger, si l'on y tient, d'éléments relevant de l'ici et du maintenant, tant il est clair que la thématique de la pièce ressortit à l'universel (on lira à ce propos les notes de Laurence Liban, dans la partie des Témoignages et documents, p. 277). En vérité, les très grandes interprètes de ce chef-d'œuvre ne sont pas celles qui *jouent* le rôle de Nora, mais celles qui parviennent à l'incarner totalement. Il n'y a pas de distance entre l'être de Nora et la personne de son expression théâtrale. Danièle Delorme avait compris cela, elle avait voulu être la personne qui refusait d'être le personnage qu'on voulait lui faire assumer. Dans le Nord, c'est aussi de la sorte que la Norvégienne Liv Ullman, bien connue d'autre part, s'est rendue célèbre dans ce rôle.

Mais nous avons parlé de la plasticité d'*Une maison de poupée* et donc de l'importance de la vision qu'à travers elle le metteur en scène entend faire valoir. Nous pouvons traiter aisément ce sujet puisque, ces toutes dernières années (2009-2010), plusieurs versions de ce drame auront été proposées au public parisien, dont, nous l'avons vu, celle de Jean-Louis Martinelli, au théâtre des Amandiers de Nanterre, avec Marina Foïs ; celle de Michel Fau, au théâtre de la Madeleine, avec Audrey Tautou ; celle de Stéphane Braunschweig au théâtre de la Colline, avec Chloé Réjon. Ces trois versions ont obtenu, chacune à part soi, un très grand succès. Or, la première n'a pas voulu sortir de la tradition bourgeoise, à telle enseigne qu'une journaliste de *L'Express* parle d'« excellent sujet pour les scolaires » : Nora est et reste une femme-enfant, docile à son père, l'intrigue s'appliquant à ne pas dépasser l'argument donné à la fin du XIXe siècle, ce qui confère à la prestation quelque chose de daté, d'enfermé selon une problématique dépassée. Fidélité serait le trait le mieux venu ici. Audrey Tautou, en revanche, a décidé de prendre un tour fantasque qui pousse parfois le jeu jusqu'à la caricature : il est vrai que Michel Fau a probablement voulu parodier à la fois la mécanique du théâtre bourgeois ou, plus exactement, du vaudeville, et le monde de conventions qui finissent par étouffer l'être humain ivre de liberté. Stéphane Braunschweig, dont nous avions déjà pu admirer l'extraordinaire représentation qu'il avait su proposer de *Brand*, est certainement celui qui est allé le plus loin et qui a vu le plus juste : la violence du jeu, le dépouillement tant des décors quasi abstraits que de la conduite de l'action, la noirceur de la vision qui tend à nous présenter un Helmer en train d'étouffer, littéralement, Nora, tout cela nous renvoie à un puritanisme dont Ibsen ne s'est jamais défendu et qu'il héritait à la fois d'une tradition scandinave et, nous l'avons vu, de Kierkegaard, son maître à penser.

Autant dire que ces trois mises en scène-là — il nous est difficile en effet de passer en revue toutes les prestations remarquables, mais on lira plus bas (p. 277) ce qu'avait pensé Laurence Liban de Dominique Blanc, en 1997 — font en quelque sorte la synthèse de ce qu'un spectateur averti peut attendre d'une pareille réflexion sur la condition humaine. Ce n'est pas que les écoles, les modes, les tendances soient absentes des réalisations des metteurs en scène, mais elles nous paraissent comme dominées parce que, en somme, c'est à une interrogation essentielle que nous sommes confrontés et que, quelle que soit son interprète, ce que Nora a à nous dire, c'est notre vérité.

TÉMOIGNAGES ET DOCUMENTS

Évocation de la comédienne Réjane
(par Herman Bang)

Herman Bang (1857-1912), écrivain et journaliste danois, qui fut l'un des grands initiateurs du théâtre scandinave à Paris, lui-même bon dramaturge d'ailleurs, évoque ici la comédienne Réjane (1856-1920) au moment de la représentation d'*Une maison de poupée* à Paris (théâtre du Vaudeville, 1894), où elle incarnait Nora. La fréquentation de l'actrice répétant la pièce lui aurait révélé « ce don mystérieux de la représentation dramatique » :

Voici les faits.

Je me trouvais en tête à tête avec l'un des plus grands talents de comédienne qui aient existé en Europe à mon époque. En face de moi, j'avais une des plus irrésistibles volontés de vaincre que j'aie jamais rencontrées sur ma route. Et il arrivait quand même à cette comédienne de parler à côté de son rôle, de se comporter de tout son être à côté de son personnage.

Mais lorsque je mettais en jeu toute ma volonté et que je rassemblais dans ma tête toute l'œuvre et la scène que l'on répétait et que, après avoir écarté les autres comédies, inté-

rieurement tendu jusqu'à en avoir le vertige, je posais moi-même les questions de Rank ou de Helmer à Nora, — alors, brusquement, comme sous l'effet d'un choc, cette question métamorphosait tout l'organisme de Réjane. L'œil, le regard, l'attitude, le visage, l'expression de la bouche, tout le corps donnait la réponse de Nora. La réponse transformait Mme Réjane en Nora — affectait à ce point son corps qu'elle devenait elle-même Nora [...].

*Terminons par une anecdote, parce que c'est plus qu'une anecdote. C'était pendant une répétition d'*Une maison de poupée. *Au dernier acte, au moment où Helmer, brandissant la lettre de Krogstad, se déchaîne et se démasque, Mme Réjane avait l'air absente. On aurait dit qu'elle n'existait pas.*

Tout à coup, je me mets à hurler, par-delà la rampe :

« Comment vous tenez-vous ? De quoi diable avez-vous l'air ? Il faut que vous ayez l'air d'une poupée qui a dans la tête un accroc carré. »

Cette remarque donna un choc à Réjane. Elle dit (en se tenant la tête) :

« Oui, oui.

— Demain, il faudra essayer. »

Et le lendemain, elle resta à côté du poêle — qu'avait-elle fait ? Peut-être ébouriffé sa chevelure, que sais-je ? Mais elle avait l'air d'une poupée qui avait le crâne endommagé, une poupée avec un accroc carré dans la tête.

Mais...

Ce n'était pas seulement une impression. Le critique de réputation internationale, le premier critique de Paris, Jules Lemaître, écrivait après la représentation : « Madame Réjane avait véritablement à cet instant l'apparence d'une poupée cassée — une poupée qui aurait eu un accroc carré dans la tête[1].

1. Herman Bang, *Masker og Mennesker*, Copenhague, 1910, pp. 177-182.

Évocation de la comédienne Agnes Sorma
(par Gunnar Heiberg)

Voici maintenant ce qu'écrivait le critique norvégien Gunnar Heiberg (1857-1929) à propos d'Agnes Sorma (1862-1927), l'une des grandes comédiennes allemandes ayant incarné Nora :

La plupart des comédiennes qui jouent Nora n'arrivent pas à rendre ce rôle vraiment cohérent. Ce rôle se décompose, chez les bonnes actrices, en deux demi-anneaux d'or que l'on n'arrive pas à souder. Elles jouent bien les deux premiers actes, chacune à sa manière, et elles jouent bien le dernier acte, mais l'unité est rompue aussi bien entre les deux moitiés de la pièce qu'entre les deux comportements des comédiennes.

Sorma jouait comme une enfant, légère, un peu frivole, aimable, coquette, bref, elle ressemblait à une de nos Nora de Scandinavie. Et c'est pourquoi j'attendais avec impatience le dernier acte.

Si la Nora devenait adulte, ce n'était pas sous l'effet de la terreur, ni de la désillusion, ce n'était pas non plus le souffle de l'émancipation féministe qui aurait pénétré dans son appartement. L'amour se transforme en haine, l'irritation contre son mari, qui se cache dans la conscience du sexe, le désir élémentaire de l'emporter à tout prix qui monte lors de chaque combat, tout se condensait en Sorma et devenait mépris.

Quand Helmer a reçu la lettre de Krogstad et s'écrie : « Je suis sauvé, Nora — nous sommes sauvés », et brûle ensuite le document portant la signature contrefaite, Sorma se tient à l'arrière-plan. Tout en elle n'est plus que mépris. Elle se dresse sur son socle comme une déesse du mépris. Helmer rampe autour d'elle, manifestant sa joie, son bonheur, sa satisfaction de médiocre. Les yeux méchants de Nora le poursuivent, elle a un petit sursaut en arrière, elle ne veut plus sentir l'air qu'il respire, sa délicieuse bouche se tord pour un sourire grimaçant et se tend comme un arc qui menace.

Telle était l'apparence de Sorma au moment où Nora devient ce qu'elle doit être : c'est ainsi que Sorma fait admettre que la femme-enfant, incertaine d'elle-même, traversait un état de puberté morale qui la mènerait vers la maturité qu'Ibsen avait prévue pour elle à la fin de sa pièce[1].

Sur le symbolisme d'Ibsen (par William Archer)

Voici ce qu'écrit, en août 1887, l'illustre critique littéraire anglais William Archer (1856-1924), grand divulgateur d'Ibsen en Grande-Bretagne :

*J'essayai de lui faire expliquer comment se déroulait dans sa tête la genèse d'une pièce. Mais, craignant de poursuivre trop loin un interrogatoire indiscret, je ne pus obtenir aucune réponse vraiment explicite. Il me semble en tout cas que l'*idée *d'une pièce se présente avant les caractères et les complications de l'intrigue, cependant, comme j'essayais de le lui faire dire plus nettement, il se déroba. Il semble pourtant ressortir de ses déclarations qu'il existe un certain stade d'incubation pour son drame d'où pourrait sortir aussi bien un essai qu'une composition dramatique. Il doit ensuite incarner les idées, telles qu'elles se sont présentées, dans les personnages, les matérialiser dans les rebondissements de l'intrigue, avant que l'on puisse dire que le travail de création est vraiment commencé. Différents plans, différentes idées convergent et la pièce qu'il met finalement en chantier est parfois assez différente de l'esquisse initiale. Il écrit, il reprend son texte, griffonne, détruit, les documents s'amoncellent, avant qu'il établisse le manuscrit élégant et bien soigné qu'il expédiera à Copenhague.*

1. Gunnar Heiberg, *Ibsen og Bjørnson paa scenen,* Christiania, 1918, pp. 99-101.

Pour ce qui est du symbolisme, il dit que la vie est remplie de symboles et que, par conséquent, ses pièces en sont pleines, néanmoins, les critiques s'acharnent à découvrir toutes sortes d'interprétations ésotériques de ses pièces, à propos desquelles il décline toute responsabilité[1].

La langue d'Ibsen vue par les Français
(par Aurélien Lugné-Poe)

Aurélien Lugné-Poe (1869-1940), qui mit en scène *Une maison de poupée*, à Paris, en 1903, évoque en ces termes la façon dont le public français avait découvert la langue d'Ibsen :

Sans doute les premières représentations d'Ibsen ont-elles été incertaines, incorrectes, et la mauvaise humeur du public n'était souvent que trop justifiée. On comprenait mal ces longues phrases pleines d'incidentes qui débordaient, empiétaient les unes sur les autres, traductrices malaisées des courtes répliques norvégiennes, simples et elliptiques. Que faisait-on alors, Messieurs ? Oh, c'est bien simple : on attribuait à je ne sais quel lyrisme, quel romantisme brumeux[2] *ce que l'on ne comprenait pas, et on « mélopait », on chantait. Oui ! il fallut une initiation près du Maître pour comprendre combien nos tempéraments français sont proches parents du tempérament normand, et combien ils peuvent en être les fidèles interprètes.*

Enfin, comme d'autre part on s'était débarrassé du souci d'un pittoresque et d'une ingéniosité vraisemblables d'ordi-

1. Ce texte fut publié d'abord dans la *Monthly Review* de juin 1906 puis repris dans *Henrik Ibsen*, Penguin Critical Anthologies, James Mc Farlane ed., 1970, pp. 10 et sq.

2. On voudra bien noter à propos de ce « brumeux » la remarque, souvent citée, de Henry Céard cité lui-même par André Antoine : « Oui, c'est très beau, mais ce n'est pas clair pour nos cervelles de Latins. »

naire, mais qui n'avaient pas leur raison d'être dans les drames si intimes, si tragiques d'Ibsen, il fallut encore répudier tous ces procédés de fantoches plus ou moins vivants où l'on venait de s'évertuer pour présenter au public des êtres, des âmes simples et humaines[1].

Sur le féminisme d'Ibsen (par Hans Heiberg)

Hans Heiberg, écrivain et journaliste norvégien (1904-1978), apporte le témoignage qui suit. La scène se passe à Rome, alors qu'Ibsen est en train d'écrire *Une maison de poupée.* Il est à l'Association scandinave de Rome et lors de l'assemblée générale, le 28 janvier 1879, il propose d'une part que les femmes aient le droit d'accéder au poste de bibliothécaire de l'association, d'autre part que ladite association soit accessible aux femmes. Les deux propositions rencontrèrent des réactions diverses... Voici ce qu'il demande :

« Y a-t-il dans cette assemblée quelqu'un qui oserait prétendre que nos dames nous soient inférieures à tous pour ce qui est de la culture, de l'intelligence, des connaissances ou des dons artistiques ? Je présume que peu d'entre nous auraient l'audace d'affirmer pareille chose[2]. »

En second lieu, et toujours dans le cadre de la même Association, Ibsen accepte de prendre part à la grande soirée de gala annuelle, chose dont il n'était pas coutumier. Gunnar Heiberg (nous avons cité plus haut à propos d'Agnes Sorma), dit alors :

Il s'assit à part. Nous croyions tous qu'il avait pardonné à ses semblables, certains pensaient même qu'il se repentait...

1. Aurélien Lugné-Poe, « Ibsen et son public », *Revue bleue,* juillet 1904.
2. Hans Heiberg, *Henrik Ibsen,* (1969), traduction d'Elisabeth Lindell et Eric Guilleman, Nyon, Esprit ouvert, 2003, pp. 228-229.

Soudain, il se posta au milieu de la piste de danse et prit la parole : « Mesdames et messieurs ! » Il y eut un moment de tension dramatique. Qu'allait-il se passer ? Voulait-il confesser ses péchés ? Que lui, Ibsen, veuille seulement porter un toast, c'était plus qu'improbable. Et là, paré de ses « pontificalissimes » ornements[1]*, il se lança dans une véritable diatribe : personne ne pouvait échapper aux grandes idées. Pas même ici ! Dans cette assemblée ! Dans cette mare aux canards ! Il ne dit pas exactement « mare aux canards », mais le mépris contenu dans ses propos proclamait bien haut ce qu'il pensait. Sa proposition avait été accueillie comme s'il s'était agi d'un attentat criminel. Et ce qui l'avait fâché le plus, c'est que les femmes elles-mêmes avaient intrigué et milité contre cette proposition. Il secoua sa crinière grise. Il croisa les bras. Ses yeux étincelaient. Sa voix tremblait, sa bouche frémissait et il avançait la lèvre inférieure. Il ressemblait à un lion [...].*

Sur Une maison de poupée
(par Brit Bildøen et Laurence Liban)

En 2006, à la faveur du centenaire de la mort de l'écrivain, l'éditeur norvégien Bjarne Buset imagina de confier aux représentants des lettres de son pays de prétendues postfaces aux douze pièces les plus importantes du dramaturge[2]. Voici donc, rapidement résumées, les vues de la bibliothécaire, romancière et poétesse Brit Bildøen (née en 1962) sur *Une maison de poupée*[3] (pp. 16-46). Nous ne donnons ici qu'un simple aperçu de ce texte que nous avons déjà partiellement exposé plus haut (Mises en scène,

1. Parce qu'une des faiblesses d'Ibsen était d'affectionner tout particulièrement les décorations.
2. Dans *Paroles d'auteurs norvégiens sur l'œuvre d'Ibsen*, trad. J. B. Coursaud, Oslo, Ministère des Affaires étrangères et Gyldendal, 2006.
3. *Ibid.*, pp. 16-46.

p. 260). Brit Bildøen écrit d'abord que Nora, tout comme les autres grandes héroïnes des pièces ibséniennes, est « toujours, d'une façon ou d'une autre, à la poursuite de la vérité ». Elle rappelle que, dans une lettre (en vers) qu'écrivit Ibsen à Georg Brandes (voir notre préface, p. 10), il dit, en 1875 : « Je préfère poser des questions ; ma vocation n'est pas d'apporter des réponses ! » De plus, elle note avec pertinence que la rébellion de l'héroïne vient de ce que Helmer ne l'a jamais considérée comme un être humain, et précise : « Cent vingt-cinq années durant, la réplique dorée de Nora, "je suis d'abord un être humain", a constitué une ligne de conduite pour un nombre incalculable de femmes. » Mais elle n'entend tout de même pas faire de Nora un parangon et de Helmer un pauvre type : « La raison en est simple : les personnages sont trop humains pour cela. Car là se logeait aussi le talent d'Ibsen qui allait l'immortaliser, lui comme les individualités qu'il a créées : il campait des personnages complexes, il tissait des situations à l'aide de nœuds serrés que personne ne parvient jamais à démêler tout à fait. » Pourtant, Brit Bildøen voit bien que les deux protagonistes répondent à une caractérisation classée, Nora est « alouette », « écureuil » et, bien entendu, « poupée » ; Helmer est « monsieur », « tyran domestique », et il se charge d'incarner la Raison et la Modération. Mais, remarque fort judicieuse, « il est rare, chez Ibsen que les personnages se contentent d'être uniquement bons ou uniquement méchants, nous nous retrouvons face à plusieurs réponses possibles, et aucune n'est simple ». Cependant, lors de leur ultime affrontement, « ils perdent d'un seul coup, et simultanément, leur innocence ».

Il n'en demeure pas moins, et Brit Bildøen ne le voit peut-être pas assez nettement, qu'Ibsen est formel au moins sur un point : « Il n'y a ni changement ni réelle liberté sans vérité. » Et voici ce qui nous paraît la réflexion la plus remarquable que nous propose la romancière pour témoigner de la réelle difficulté de compréhension de ce chef-d'œuvre :

> *On a discuté de long en large sur ce qu'il advient de Nora une fois qu'elle a claqué la porte. Les interprétations sont nombreuses et, pour partie, très fantaisistes. Elfriede Jelinek, prix Nobel de littérature en 2004, a écrit en 1979 une pièce intitulée* Ce qui arriva quand Nora quitta son mari. *[Elle] fait en sorte que Nora se prolétarise et finisse en esclave sexuelle. Certains metteurs en scène lui font rebrousser chemin dans l'escalier, et d'autres pièces voient Nora tirer un coup de pistolet sur Helmer. Quand Mao a commencé sa Longue Marche en 1935, il était évident pour les spectateurs chinois de l'époque que Nora quittait Helmer pour s'enrôler dans l'armée maoïste et devenir fantassin. Depuis, 1935 a représenté « les années Nora » dans les livres d'histoire chinois. Il appartient aussi à l'Histoire qu'Ibsen écrivît une autre fin à* Une maison de poupée, *dans le but d'éviter que les metteurs en scène incapables de supporter le choix « impossible » de Nora l'empêchent de quitter le domicile conjugal.*

Il est clair que c'est le fait d'être traitée comme une enfant qui révolte souverainement Nora :

> *Elle est devenue adulte [...]. Son départ est en soi tragique, mais il laisse le champ libre à l'espoir.*

Lisons à présent ces lignes dues à Laurence Liban, journaliste à *L'Express,* qui venait de voir *Une maison de poupée,* en 1997, dans la mise en scène de Deborah Warner, avec Dominique Blanc dans le rôle principal :

> *Une mise en scène efficace, des décors intelligents, des comédiens excellents :* [c'est] *vraiment une réussite. Dominique Blanc en Nora Helmer dans* Une maison de poupée *incarne la jeune femme jusqu'à l'épuisement du corps vacillant. Dans le grand salon gris d'une maison cossue, une jeune femme surgit, pleine de rires et de paquets, une chanson sur les lèvres, des enfants à ses trousses. C'est Nora*

Helmer, héroïne emblématique de la liberté chèrement payée, petit soldat sacrifiant tout pour le droit incertain d'être soi-même. Il est six heures du soir, c'est la veille de Noël. Nora ne sait pas que le compte à rebours a commencé, et que dans deux jours, elle aura claqué la porte du domicile conjugal dans un fracas qui résonne encore aujourd'hui et la fit entrer dans l'histoire des hommes depuis les années 1890. Accusé de socialisme et de féminisme par une France amoureuse de Cyrano de Bergerac, *Ibsen, dans* Une maison de poupée, *veut uniquement parler d'un homme et d'une femme, du malentendu qui les lie dans le mariage et subordonne l'un à l'autre, de la pusillanimité des faibles qui se font tels qu'on les souhaite : une poupée, épouse et mère de famille, comme Nora.*

Ou n'importe quoi d'autre.

Familière du Norvégien, dont elle a monté Hedda Gabler *en 1993, Deborah Warner bannit l'anecdotique façon* XIXe *siècle et le folklore nordique pour laisser filer la pièce vers l'universel, dans le décor épuré de Hildegard Bechtler : un intérieur lumineux où la vue plonge depuis le grand salon jusqu'à une cour intérieure enneigée laissant voir les couloirs et la vie qui continue hors scène. Par cette belle idée, les arrière-plans architecturaux renvoient le spectateur aux arrière-pensées d'un mariage bâti sur l'ordre bourgeois. Et la maison occupe pleinement sa fonction de boîte mentale. [...] Une femme naît enfin de la gravure de genre.*

Puis Laurence Liban passe en revue les principaux personnages pour conclure sur Krogstad :

Il est le voleur furtif, le bandit de sous-bois, desperado honteux et jubilant. Lui et Nora s'approcheront au plus près de leur vérité. Il sera sauvé. Elle, on ne sait pas[1].

1. *L'Express,* 10 avril 1997. Ce texte a été repris dans l'ouvrage collectif *Littératures de Norvège* (qui constitue le n° 20-21-22 de la revue *Scherzo,* octobre 2004, p. 19).

BIBLIOGRAPHIE SÉLECTIVE

Nous ne présentons ici qu'une bibliographie sélective. Le lecteur pourra en outre se reporter aux bibliographies proposées dans :

PETTERSEN, Hjalmar, *Henrik Ibsen 1828-1928*, Oslo, 1928.

TEDFORD, Ingrid, *Ibsen Bibliography 1928-1957*, Londres / Oslo, Oslo University Press, 1961.

Contemporary approaches to Ibsen (Oslo, depuis 1965, 7 vol.).

BALLU, Denis, *Nouvelles du Nord*, nº 5 : *Lettres nordiques en traduction française, 1720-1995*, 1996.

ÉDITIONS COLLECTIVES

Les manuscrits d'Ibsen sont conservés au département des Manuscrits de la Bibliothèque royale de Copenhague et à la section des Manuscrits de la Bibliothèque nationale d'Oslo. Leur version numérisée est consultable sur Internet (http://www.dokpro.uio.no/litteratur/ibsen/ms/ms.html).

Éditions norvégiennes et danoises

Digte (*Poèmes*), Copenhague, Gyldendal Boghandel, 1871.

Samlede verker (*Œuvres complètes*), Copenhague, 9 vol., 1898-1912. [L'édition « populaire », nombreuses rééditions.]

Samlede verker. Hundreårsutgave (*Œuvres complètes. Édition du centenaire*), H. Koht, Fr. Bull et D. A. Seip éd., Oslo, Gyldendal Norsk Forlag, 21 vol., 1928-1957. [L'édition scientifique standard qui a été utilisée pour l'établissement du texte de notre traduction. Elle contient tout ce qu'Ibsen a écrit, y compris sa correspondance, avec des introductions scientifiques et un appareil critique complet.]

Traductions françaises

Poésies, trad. Charles de Bigault de Casanove, Mercure de France, 1907.

Œuvres de Henrik Ibsen, trad. comte Moritz Prozor, Perrin, 9 vol., 1908-1910.

Œuvres choisies, trad. Jacques de Coussange, coll. « Les Cent Chefs-d'œuvre étrangers », La Renaissance du livre, 2 vol., 1925-1935.

Œuvres complètes, trad. P. G. La Chesnais, Plon, 16 vol., 1930-1945.

Les Douze Dernières Pièces, trad. Terje Sinding et Bernard Dort, Imprimerie nationale, 4 vol., 1990-1994.

Drames contemporains, trad. comte Moritz Prozor, Pierre Bertrand et Edmond de Nevers, Le Livre de poche, coll. « La Pochothèque », 2005.

Poèmes, trad. Régis Boyer, Les Belles Lettres, coll. « Classiques du Nord », 2006.

ÉDITIONS DE LA CORRESPONDANCE

Éditions danoises et norvégiennes

Breve (*Correspondance*), H. Koht et J. Elias éd., Copenhague, Gyldendal Boghandel, 2 vol., 1904.

Brevveksling med Christiania Teater, 1878-1899 (*Correspondance avec le Christiania Theater*), Oslo, 1956.

Traduction française

Lettres de Henrik Ibsen à ses amis, trad. Martine Rémusat, Paris, Perrin, 1906.

OUVRAGES ET ARTICLES

Sur Ibsen et son œuvre

SAROLEA, Charles, *Henrik Ibsen. Étude sur sa vie et son œuvre*, Nilsson, 1891.

SHAW, George Bernard, *The Quintessence of Ibsenism*, Londres, Walter Scott, 1891 ; éd. revue, s.l., Constable, 1913. [Par l'un des disciples déclarés d'Ibsen.]

EHRHARD, Auguste, *Henrik Ibsen et le Théâtre contemporain*, Lecène & Oudin, coll. « Nouvelle bibliothèque littéraire », 1892. [Porte sur les réactions de l'époque.]

DOUMIC, René, *De Scribe à Ibsen. Causeries sur le théâtre contemporain*, Paul Delaplane, 1893, p. 315-349 ; rééd. 1896 et 1901. [Traite des influences françaises sur Ibsen.]

BRANDES, Georg, *Henrik Ibsen*, Copenhague / Christiana, 1898.

OSSIP-LOURIÉ, *La Philosophie sociale dans le théâtre d'Ibsen*, Félix Alcan, 1900.

LENEVEU, Georges, *Ibsen et Maeterlinck*, Ollendorff, 1902.

LUGNÉ-POE, Aurélien, « Ibsen et son public », *Revue bleue*, juillet 1904.

RÉMUZAT, Martine, « Lettres de Henrik Ibsen à une jeune fille », *La Revue*, n° 64, 1906, p. 204-205.

COLLEVILLE, Ludovic de et ZEPELIN, Fritz de, *Le Maître du drame contemporain. Ibsen, l'homme et l'œuvre*, Per Lamm, coll. « Grands penseurs modernes », 1907. [Ancien mais toujours utile.]

PINEAU, Léon, « Ibsen d'après sa correspondance », *Revue germanique*, n° 3, mai-juin 1907, p. 265-291.

SUARÈS, André, *Le Portrait d'Ibsen*, Cahiers de la quinzaine, 1908. [Analyse importante.]

BERTEVAL, Walter Shinz, *Le Théâtre d'Ibsen*, Perrin, 1912.

REINECKER, Friederike, *La Femme dans le théâtre d'Ibsen*, Paris, Félix Alcan, 1912. [La première d'une longue série d'études similaires.]

Brandes (Georg), « Henrik Ibsen intime », *Mercure de France*, n° 105, 1913, p. 5-35.

HEIBERG, Gunnar, *Ibsen og Bjørnson paa scenen*, Christiania, 1918. [Très utile mise au point.]

ANTOINE, André, *Mes souvenirs sur le Théâtre Libre*, Fayard, 1921.

HØST, Sigurd, *Henrik Ibsen*, Stock, 1924. [Utile bien qu'ancien.]

KOHT, Halvdan, *Henrik Ibsen : Eit diktarliv*, Oslo, Aschehoug, 2 vol., 1928 ; trad. anglaise : *The Life of Ibsen*, s.l., Allen v. Unwin, 1928. [Très complet.]

REQUE, A. Dikka, *Trois auteurs dramatiques scandinaves : Ibsen, Bjørnson, Strindberg, devant la critique française. 1889-1901*, Honoré Champion, 1930 ; rééd. Genève, Slatkine, 1976. [Bien documenté.]

LUGNÉ-POE, Aurélien, *Ibsen*, Rieder, coll. « Maîtres des littératures », 1936.

IBSEN, Bergljot, *De tre. Erindringer om Henrik Ibsen, Suzannah*

Ibsen, Sigurd Ibsen, Oslo, Gyldendal Boghandel, 1948. [Souvenirs de la belle-fille du dramaturge.]

LAMM, Martin, *Det moderna Dramat*, Stockholm, 1948, p. 102-134. [Par un critique littéraire scandinave ; très bonne mise au point.]

TENNANT, Peter Franck Dalrymple, *Ibsen's Dramatic Technique*, Cambridge, Bowes, 1948. [Utile, met l'accent sur les composantes techniques du théâtre d'Ibsen.]

NORTHAM, John Richard, *Ibsen's Dramatic Method. A Study of the Prose Dramas*, Londres, Faber & Faber, 1952. [Étude importante qui met l'accent sur le caractère avant tout visuel de l'art d'Ibsen.]

MOHR, Otto Louis, *Henrik Ibsen som maler*, Oslo, Gyldendal Boghandel, 1953. [Étude sur un sujet peu connu : Ibsen peintre.]

ROBICHEZ, Jacques, *Lugné-Poe*, L'Arche, 1955.

HAAKONSEN, Daniel, *Ibsens realisme : mennesket og kunstneren*, Oslo, Aschehoug, 1957. [Intéressante étude qui réfute le prétendu « symbolisme » du dramaturge.]

PRUNER, Francis, « Ibsen et le Mariage du réalisme et du symbolisme », *Revue des lettres modernes*, vol. IV, n° 30, 1957.

ROBICHEZ, Jacques, « L'Introduction de l'œuvre d'Ibsen en France, 1887-1889 », *Revue d'histoire du théâtre*, n° 9, 1957, p. 23-35.

HEIBERG, Hans, *Henrik Ibsen, født til kunstner*, Oslo, Aschehoug, 1967 ; trad. française : *Henrik Ibsen*, Nyon, Esprit ouvert, 2003. [Biographie utile qui met l'accent sur le factuel et l'anecdote.]

MEYER, Michael, *Henrik Ibsen. A Biography*, Londres, Mac Donald, 3 vol., 1967 ; rééd. New York, Doubleday, 1971. [Exhaustif et très anecdotique.]

GRAVIER, Maurice, *D'Ibsen à Sigrid Undset. Le Féminisme et l'amour dans la littérature norvégienne (1850-1950)*, Les Lettres modernes, 1968.

BIEN, Horst, *Henrik Ibsen's Realismus : zur Genesis und Methode des klassischen Kritisch-realistischen Dramas,* Berlin, Rütten und Lœning, 1970. [Analyse marxiste du théâtre.]

GRAVIER, Maurice, *Ibsen. Textes, points de vue critiques, témoignages, chronologie, bibliographie, illustrations,* Seghers, coll. « Théâtre de tous les temps », 1973. [Seule étude complète existant en français.]

PAUL, Fritz, *Henrik Ibsen,* Darmstadt, Wissenschaftliche Buchgesellshaft, 1977.

BEYER, Edvard, *Henrik Ibsen,* Oslo, J. W. Cappelens Forlag, 1978. [Travail documenté et précis qui met l'accent sur l'analyse des pièces l'une après l'autre.]

The Cambridge Companion to Ibsen, J. W. Mc Farlane éd., Cambridge, Cambridge University Press, 1994. [Collection d'études par des spécialistes.]

BOYER, Régis, *Histoire des littératures scandinaves,* Fayard, 1996.

FERGUSON, Robert, *Henrik Ibsen. A New Biography,* Londres, Richard Cohen, 1996.

TEMPLETON, Joan, *Ibsen's Women,* Cambridge, Cambridge University Press, 1997.

Ibsen, Régis Boyer dir., *Europe,* n° 840, avril 1999. [Numéro spécial consacré à Ibsen, avec des contributions de spécialistes norvégiens et français actuels.]

HEMMER, Bjørn, *Ibsens : Kunstnerens vei,* Bergen / Oslo, Vigmostad & Bjørke / Ibsen-museene i Norge, 2003. [Excellente étude.]

SEGRESTIN, Marthe, « Shakespeare, modèle ou miroir, les cas d'Ibsen et de Strindberg », *Littératures classiques,* n° 48, printemps 2003, p. 161-172.

BOYER, Régis, « Mesure et démesure : les ressorts du tragique chez Ibsen », *Théâtre, tragique et modernité en Europe (XIXe et XXe siècles),* M. Lazzarini-Dossin dir., Bruxelles, Archives et Musée de la littérature / Peter Lang, 2004, p. 87-100.

DE DECKER, Jacques, *Ibsen,* Gallimard, coll. « Folio biographies », 2006.

Collectif, *Paroles d'auteurs norvégiens sur l'œuvre d'Ibsen,* traduction de J. B. Coursaud, Oslo, Ministère des Affaires étrangères et Gyldendal, 2006.

Collectif : *Actualités d'Ibsen : Le texte et la scène. Études germaniques,* n° 248, octobre-décembre 2007, p. 860 [Contient, entre autres, les articles suivants : Jacques Lassalle, « Revenir à Rosmersholm » et Régis Boyer, « Le véritable ennemi d'Ibsen ».].

Sur Une maison de poupée

Boyer, Régis, « Elisabeth-Laura-Nora », dans *Literature and Reality : Creatio versus Mimesis,* A. Bolckmans ed., Université de Gand, 1977, p. 181-194.

Ystad, Vigdis, Notice d'*Une maison de poupée* ; Ibsen, *Drames contemporains,* Le Livre de poche, coll. « La Pochothèque », 2005, p. 273.

RÉSUMÉ

La scène se passe dans une confortable maison bourgeoise où vivent le banquier Torvald Helmer, sa femme Nora, et leurs trois enfants. Ambiance chaleureuse, affection et enjouement. Nora, petite femme vive et souriante, est l'âme de ce foyer, et Helmer la traite comme une poupée. Pourtant, elle a son secret : quand, il y a quelques années, Helmer est tombé malade, elle a fait tout son possible pour qu'il aille se faire soigner dans le Midi de l'Europe, mais comme elle n'avait pas assez d'argent pour payer le voyage, elle a fait un faux, en contrefaisant la signature de son propre père.

Depuis, Helmer est rentré, guéri, et ne se doute de rien. Nora est certaine d'avoir fait son devoir, par amour, elle ne regrette rien et elle passe le plus clair de son temps à gagner subrepticement de l'argent (en faisant de la copie) pour rembourser son créancier, qui n'est autre qu'un certain Krogstad. Comme Helmer vient d'être nommé directeur de la banque, elle espère bien qu'il lui en donnera un peu plus. Mais Krogstad veut profiter de la promotion de Helmer pour obtenir un poste plus intéressant à la banque. Il vient en avertir Nora et la prie d'intervenir pour lui. Ce que fait Nora, mais son mari ne veut rien entendre. Krogstad menace alors de communiquer à Helmer la lettre où la dette de Nora est attestée. Nora fait l'impossible pour l'en détourner, le hasard voulant qu'une de ses anciennes amies d'enfance, Kristine Linde, devenue veuve, survienne à ce moment-là. Nora lui fait part de ses soucis.

Nora est déchirée entre l'espoir que son mari lui pardonnera parce qu'il aura compris pour quelles raisons elle avait commis ce « crime », tout en redoutant sa réaction. Elle tente de faire diversion, notamment en dansant follement pour lui la tarentelle.

Et la lettre accusatrice de Krogstad parvient à Helmer : ce dernier, qui ne comprend évidemment pas pourquoi sa femme a agi de la sorte, entre en fureur et lui dit que désormais entre eux il ne sera plus « question de bonheur », qu'il s'agira « uniquement de sauver les restes, des débris, l'apparence ».

Or il se trouve que dans l'intervalle Krogstad et Kristine Linde se sont reconnus car ils s'étaient aimés dans leur jeunesse. Le destin les avait séparés mais ils se sentent prêts aujourd'hui à refaire leur vie ensemble. Krogstad décide de revenir sur sa décision et envoie à Helmer une seconde lettre où il décrète renoncer à son chantage. Helmer, rasséréné, est disposé à renoncer à son attitude de justicier moralisateur. Seulement, il est trop tard : Nora a compris non seulement qu'elle n'était pas réellement aimée, mais que sa personne, son être de sacrifice et d'abnégation, avaient été purement et simplement niés. Elle décide d'abandonner sa maison de poupée, son mari, ses enfants, sa vie bourgeoise, et s'en va, bien décidée à poursuivre son idéal de liberté et de sincérité, tandis qu'Helmer, effondré, n'a plus qu'à espérer que se produise le « miracle suprême » qui la ferait revenir.

UNE MAISON DE POUPÉE

DOSSIER

DU MÊME AUTEUR

Dans la même collection

UNE MAISON DE POUPÉE. *Édition et traduction de Régis Boyer.*

PEER GYNT. *Édition et traduction de François Regnault.*

COLLECTION FOLIO THÉÂTRE

Dernières parutions

20. Victor HUGO : *Hernani*. Édition présentée et établie par Yves Gohin.
21. Ivan TOURGUÉNIEV : *Un mois à la campagne*. Édition de Françoise Flamant. Traduction de Denis Roche.
22. Eugène LABICHE : *Brûlons Voltaire!* précédé de *Un monsieur qui a brûlé une dame, La Dame aux jambes d'azur, L'Amour, un fort volume, prix 3F 50C, La Main leste, Le Cachemire X. B. T.* Édition présentée et établie par Olivier Barrot et Raymond Chirat.
23. Jean RACINE : *Phèdre*. Édition présentée et établie par Christian Delmas et Georges Forestier.
24. Jean RACINE : *Bajazet*. Édition présentée et établie par Christian Delmas.
25. Jean RACINE : *Britannicus*. Édition présentée et établie par Georges Forestier.
26. GOETHE : *Faust*. Préface de Claude David. Traduction nouvelle de Jean Amsler. Notes de Pierre Grappin.
27. William SHAKESPEARE : *Tout est bien qui finit bien*. Édition de Gisèle Venet. Traduction nouvelle de Jean-Michel Déprats et Jean-Pierre Vincent.
28. MOLIÈRE : *Le Misanthrope*. Édition présentée et établie par Jacques Chupeau.
29. BEAUMARCHAIS : *Le Barbier de Séville*. Édition présentée et établie par Françoise Bagot et Michel Kail.
30. BEAUMARCHAIS : *Le Mariage de Figaro*. Édition présentée et établie par Françoise Bagot et Michel Kail.
31. Richard WAGNER : *Tristan et Isolde*. Préface de Pierre Boulez. Traduction nouvelle d'André Miquel. Édition bilingue.
32. Eugène IONESCO : *Les Chaises*. Édition présentée et établie par Michel Lioure.

33. William SHAKESPEARE : *Le Conte d'hiver.* Préface et traduction d'Yves Bonnefoy.
34. Pierre CORNEILLE : *Polyeucte.* Édition présentée et établie par Patrick Dandrey.
35. Jacques AUDIBERTI : *Le mal court.* Édition présentée et établie par Jeanyves Guérin.
36. Pedro CALDERÓN DE LA BARCA : *La vie est un songe.* Traduction nouvelle et notes de Lucien Dupuis. Préface et dossier de Marc Vitse.
37. Victor HUGO : *Ruy Blas.* Édition présentée et établie par Patrick Berthier.
38. MOLIÈRE : *Le Tartuffe.* Édition présentée et établie par Jean Serroy.
39. MARIVAUX : *Les Fausses Confidences.* Édition présentée et établie par Michel Gilot.
40. Hugo von HOFMANNSTHAL : *Le Chevalier à la rose.* Édition de Jacques Le Rider. Traduction de Jacqueline Verdeaux.
41. Paul CLAUDEL : *Le Soulier de satin.* Édition présentée et établie par Michel Autrand.
42. Eugène IONESCO : *Le Roi se meurt.* Édition présentée et établie par Gilles Ernst.
43. William SHAKESPEARE : *La Tempête.* Préface et traduction nouvelle d'Yves Bonnefoy. Édition bilingue.
44. William SHAKESPEARE : *Richard II.* Édition de Margaret Jones-Davies. Traduction nouvelle de Jean-Michel Déprats. Édition bilingue.
45. MOLIÈRE : *Les Précieuses ridicules.* Édition présentée et établie par Jacques Chupeau.
46. MARIVAUX : *Le Triomphe de l'amour.* Édition présentée et établie par Henri Coulet.
47. MOLIÈRE : *Dom Juan.* Édition présentée et établie par Georges Couton.
48. MOLIÈRE : *Le Bourgeois gentilhomme.* Édition présentée et établie par Jean Serroy.

49. Luigi PIRANDELLO : *Henri IV.* Édition de Robert Abirached. Traduction de Michel Arnaud.
50. Jean COCTEAU : *Bacchus.* Édition présentée et établie par Jean Touzot.
51. John FORD : *Dommage que ce soit une putain.* Édition de Gisèle Venet. Traduction nouvelle de Jean-Michel Déprats.
52. Albert CAMUS : *L'État de siège.* Édition présentée et établie par Pierre- Louis Rey.
53. Eugène IONESCO : *Rhinocéros.* Édition présentée et établie par Emmanuel Jacquart.
54. Jean RACINE : *Iphigénie.* Édition présentée et établie par Georges Forestier.
55. Jean GENET : *Les Bonnes.* Édition présentée et établie par Michel Corvin.
56. Jean RACINE : *Mithridate.* Édition présentée et établie par Georges Forestier.
57. Jean RACINE : *Athalie.* Édition présentée et établie par Georges Forestier.
58. Pierre CORNEILLE : *Suréna.* Édition présentée et établie par Jean-Pierre Chauveau.
59. William SHAKESPEARE : *Henry V.* Édition de Gisèle Venet. Traduction nouvelle de Jean-Michel Déprats. Édition bilingue.
60. Nathalie SARRAUTE : *Pour un oui ou pour un non.* Édition présentée et établie par Arnaud Rykner.
61. William SHAKESPEARE : *Antoine et Cléopâtre.* Préface et traduction nouvelle d'Yves Bonnefoy. Édition bilingue.
62. Roger VITRAC : *Victor ou les enfants au pouvoir.* Édition présentée et établie par Marie-Claude Hubert.
63. Nathalie SARRAUTE : *C'est beau.* Édition présentée et établie par Arnaud Rykner.
64. Pierre CORNEILLE : *Le Menteur. La Suite du Menteur.* Édition présentée et établie par Jean Serroy.
65. MARIVAUX : *La Double Inconstance.* Édition présentée et établie par Françoise Rubellin.

66. Nathalie SARRAUTE : *Elle est là.* Édition présentée et établie par Arnaud Rykner.
67. Oscar WILDE : *L'Éventail de Lady Windermere.* Édition de Gisèle Venet. Traduction de Jean-Michel Déprats.
68. Eugène IONESCO : *Victimes du devoir.* Édition présentée et établie par Gilles Ernst.
69. Jean GENET : *Les Paravents.* Édition présentée et établie par Michel Corvin.
70. William SHAKESPEARE : *Othello.* Préface et traduction nouvelle d'Yves Bonnefoy. Édition bilingue.
71. Georges FEYDEAU : *Le Dindon.* Édition présentée et établie par Robert Abirached.
72. Alfred de VIGNY : *Chatterton.* Édition présentée et établie par Pierre- Louis Rey.
73. Alfred de MUSSET : *Les Caprices de Marianne.* Édition présentée et établie par Frank Lestringant.
74. Jean GENET : *Le Balcon.* Édition présentée et établie par Michel Corvin.
75. Alexandre DUMAS : *Antony.* Édition présentée et établie par Pierre-Louis Rey.
76. MOLIÈRE : *L'Étourdi.* Édition présentée et établie par Patrick Dandrey.
77. Arthur ADAMOV : *La Parodie.* Édition présentée et établie par Marie-Claude Hubert.
78. Eugène LABICHE : *Le Voyage de Monsieur Perrichon.* Édition présentée et établie par Bernard Masson.
79. Michel de GHELDERODE : *La Balade du Grand Macabre.* Préface de Guy Goffette. Édition de Jacqueline Blancart-Cassou.
80. Alain-René LESAGE : *Turcaret.* Édition présentée et établie par Pierre Frantz.
81. William SHAKESPEARE : *Le Songe d'une nuit d'été.* Édition de Gisèle Venet. Traduction de Jean-Michel Déprats. Édition bilingue.
82. Eugène IONESCO : *Tueur sans gages.* Édition présentée et établie par Gilles Ernst.

83. MARIVAUX : *L'Épreuve.* Édition présentée et établie par Henri Coulet.
84. Alfred de MUSSET : *Fantasio.* Édition présentée et établie par Frank Lestringant.
85. Friedrich von SCHILLER : *Don Carlos.* Édition de Jean-Louis Backès. Traduction de Xavier Marmier, revue par Jean-Louis Backès.
86. William SHAKESPEARE : *Hamlet.* Édition de Gisèle Venet. Traduction de Jean-Michel Déprats. Édition bilingue.
87. Roland DUBILLARD : *Naïves hirondelles.* Édition présentée et établie par Michel Corvin.
88. Édouard BOURDET : *Vient de paraître.* Édition présentée et établie par Olivier Barrot et Raymond Chirat.
89. Pierre CORNEILLE : *Rodogune.* Édition présentée et établie par Jean Serroy.
90. MOLIÈRE : *Sganarelle.* Édition présentée et établie par Patrick Dandrey.
91. Michel de GHELDERODE : *Escurial* suivi de *Hop signor !.* Édition présentée et établie par Jacqueline Blancart-Cassou.
92. MOLIÈRE : *Les Fâcheux.* Édition présentée et établie par Jean Serroy.
93. Paul CLAUDEL : *Le Livre de Christophe Colomb.* Édition présentée et établie par Michel Lioure.
94. Jean GENET : *Les Nègres.* Édition présentée et établie par Michel Corvin.
95. Nathalie SARRAUTE : *Le Mensonge.* Édition présentée et établie par Arnaud Rykner.
96. Paul CLAUDEL : *Tête d'Or.* Édition présentée et établie par Michel Lioure.
97. MARIVAUX : *La Surprise de l'amour* suivi de *La Seconde Surprise de l'amour.* Édition présentée et établie par Henri Coulet.
98. Jean GENET : *Haute surveillance.* Édition présentée et établie par Michel Corvin.

99. LESSING : *Nathan le Sage.* Édition et traduction nouvelle de Dominique Lurcel.
100. Henry de MONTHERLANT : *La Reine morte.* Édition présentée et établie par Marie-Claude Hubert.
101. Pierre CORNEILLE : *La Place Royale.* Édition présentée et établie par Jean Serroy.
102. Luigi PIRANDELLO : *Chacun à sa manière.* Édition de Mario Fusco. Traduction de Michel Arnaud.
103. Jean RACINE : *Les Plaideurs.* Édition présentée et établie par Georges Forestier.
104. Jean RACINE : *Esther.* Édition présentée et établie par Georges Forestier.
105. Jean ANOUILH : *Le Voyageur sans bagage.* Édition présentée et établie par Bernard Beugnot.
106. Robert GARNIER : *Les Juives.* Édition présentée et établie par Michel Jeanneret.
107. Alexandre OSTROVSKI : *L'Orage.* Édition et traduction nouvelle de Françoise Flamant.
108. Nathalie SARRAUTE : *Isma.* Édition présentée et établie par Arnaud Rykner.
109. Victor HUGO : *Lucrèce Borgia.* Édition présentée et établie par Clélia Anfray.
110. Jean ANOUILH : *La Sauvage.* Édition présentée et établie par Bernard Beugnot.
111. Albert CAMUS : *Les Justes.* Édition présentée et établie par Pierre-Louis Rey.
112. Alfred de MUSSET : *Lorenzaccio.* Édition présentée et établie par Bertrand Marchal.
113. MARIVAUX : *Les Sincères* suivi de *Les Acteurs de bonne foi.* Édition présentée et établie par Henri Coulet.
114. Eugène IONESCO : *Jacques ou la Soumission* suivi de *L'avenir est dans les œufs.* Édition présentée et établie par Marie-Claude Hubert.
115. Marguerite DURAS : *Le Square.* Édition présentée et établie par Arnaud Rykner.
116. William SHAKESPEARE : *Le Marchand de Venise.*

Édition de Gisèle Venet. Traduction de Jean-Michel Déprats. Édition bilingue.

117. Valère NOVARINA : *L'Acte inconnu.* Édition présentée et établie par Michel Corvin.
118. Pierre CORNEILLE : *Nicomède.* Édition présentée et établie par Jean Serroy.
119. Jean GENET : *Le Bagne.* Préface de Michel Corvin. Édition de Michel Corvin et Albert Dichy.
120. Eugène LABICHE : *Un chapeau de paille d'Italie.* Édition présentée et établie par Robert Abirached.
121. Eugène IONESCO : *Macbett.* Édition présentée et établie par Marie-Claude Hubert.
122. Victor HUGO : *Le Roi s'amuse.* Édition présentée et établie par Clélia Anfray.
123. Albert CAMUS : *Les Possédés* (adaptation du roman de Dostoïevski). Édition présentée et établie par Pierre-Louis Rey.
124. Jean ANOUILH : *Becket ou l'Honneur de Dieu.* Édition présentée et établie par Bernard Beugnot.
125. Alfred de MUSSET : *On ne badine pas avec l'amour.* Édition présentée et établie par Bertrand Marchal.
126. Alfred de MUSSET : *La Nuit vénitienne. Le Chandelier. Un caprice. Il faut qu'une porte soit ouverte ou fermée.* Édition présentée et établie par Frank Lestringant.
127. Jean GENET : *Splendid's* suivi de *« Elle ».* Édition présentée et établie par Michel Corvin.
128. Alfred de MUSSET : *Il ne faut jurer de rien* suivi de *On ne saurait penser à tout.* Édition présentée et établie par Sylvain Ledda.
129. Jean RACINE : *La Thébaïde ou les Frères ennemis.* Édition présentée et établie par Georges Forestier.
130. Georg BÜCHNER : *Woyzeck.* Édition de Patrice Pavis. Traduction de Philippe Ivernel et Patrice Pavis. Édition bilingue.
131. Paul CLAUDEL : *L'Échange.* Édition présentée et établie par Michel Lioure.

132. SOPHOCLE : *Antigone.* Préface de Jean-Louis Backès. Traduction de Jean Grosjean. Notes de Raphaël Dreyfus.
133. Antonin ARTAUD : *Les Cenci.* Édition présentée et établie par Michel Corvin.
134. Georges FEYDEAU : *La Dame de chez Maxim.* Édition présentée et établie par Michel Corvin.
135. LOPE DE VEGA : *Le Chien du jardinier.* Traduction et édition de Frédéric Serralta.
136. Arthur ADAMOV : *Le Ping-Pong.* Édition présentée et établie par Gilles Ernst.
137. Marguerite DURAS : *Des journées entières dans les arbres.* Édition présentée et établie par Arnaud Rykner.
138. Denis DIDEROT : *Est-il bon ? Est-il méchant ?.* Édition présentée et établie par Pierre Frantz.
139. Valère NOVARINA : *L'Opérette imaginaire.* Édition présentée et établie par Michel Corvin.
140. James JOYCE : *Exils.* Édition de Jean-Michel Rabaté. Traduction de Jean-Michel Déprats.
141. Georges FEYDEAU : *On purge Bébé !.* Édition présentée et établie par Michel Corvin.
142. Jean ANOUILH : *L'Invitation au château.* Édition présentée et établie par Bernard Beugnot.
143. Oscar WILDE : *L'Importance d'être constant.* Édition d'Alain Jumeau. Traduction de Jean-Michel Déprats.
144. Henrik IBSEN : *Une maison de poupée.* Édition et traduction de Régis Boyer.
145. Georges FEYDEAU : *Un fil à la patte.* Édition présentée et établie par Jean-Claude Yon.
146. Nicolas GOGOL : *Le Révizor.* Traduction d'André Barsacq. Édition de Michel Aucouturier.
147. MOLIÈRE : *George Dandin* suivi de *La Jalousie du Barbouillé.* Édition présentée et établie par Patrick Dandrey.
148. Albert CAMUS : *La Dévotion à la croix* (de Calderón). Edition présentée et établie par Jean Canavaggio.
149. Albert CAMUS : *Un cas intéressant* (d'après Dino Buz-

zati). Edition présentée et établie par Pierre-Louis Rey.

150. Victor HUGO : *Marie Tudor.* Édition présentée et établie par Clélia Anfray.

151. Jacques AUDIBERTI : *Quoat-Quoat.* Édition présentée et établie par Nelly Labère.

152. MOLIÈRE : *Le Médecin volant. Le Mariage forcé.* Édition présentée et établie par Bernard Beugnot.

153. William SHAKESPEARE : *Comme il vous plaira.* Édition de Gisèle Venet. Traduction de Jean-Michel Déprats.

154. SÉNÈQUE : *Médée.* Édition et traduction nouvelle de Blandine Le Callet. Édition bilingue.

155. Heinrich von KLEIST : *Le Prince de Hombourg.* Édition de Michel Corvin. Traduction de Pierre Deshusses et Irène Kuhn.

156. Miguel de CERVANTÈS : *Numance.* Traduction nouvelle et édition de Jean Canavaggio.

157. Alexandre DUMAS : *La Tour de Nesle.* Édition de Claude Schopp.

158. LESAGE, FUZELIER et D'ORNEVAL : *Le Théâtre de la Foire, ou l'Opéra-comique* (choix de pièces des années 1720 et 1721 : *Arlequin roi des Ogres, ou les Bottes de sept lieues, Prologue de La Forêt de Dodone, La Forêt de Dodone, La Tête-Noire*). Édition présentée et établie par Dominique Lurcel.

159. Jean GIRAUDOUX : *La guerre de Troie n'aura pas lieu.* Édition présentée et établie par Jacques Body.

160. MARIVAUX : *Le Prince travesti.* Édition présentée et établie par Henri Coulet.

161. Oscar WILDE : *Un mari idéal.* Édition d'Alain Jumeau. Traduction de Jean-Michel Déprats.

162. Henrik IBSEN : *Peer Gynt.* Édition et traduction de François Regnault.

163. Anton TCHÉKHOV : *Platonov.* Édition de Roger Grenier. Traduction d'Elsa Triolet.

164. William SHAKESPEARE : *Peines d'amour perdues.* Édi-

tion bilingue présentée et établie par Gisèle Venet. Traduction de Jean-Michel Déprats.

165. Paul CLAUDEL : *L'Otage.* Édition présentée et établie par Michel Lioure.

166. VOLTAIRE : *Zaïre.* Édition présentée et établie par Pierre Frantz.

167. Federico GARCÍA LORCA : *La Maison de Bernarda Alba.* Édition et traduction nouvelle d'Albert Bensoussan.

168. Eugène LABICHE : *Le Prix Martin.* Édition présentée et établie par Jean-Claude Yon.

Composition Rosa Beaumont
Impression Novoprint
à Barcelone, le 8 avril 2016
Dépôt légal: avril 2016
1er dépôt légal: janvier 2013

ISBN 978-2-07-044365-9 / Imprimé en Espagne.